LE MASQUE
Collection de romans d'aventures
créée et dirigée par
ALBERT PIGASSE

———

LA FEMME
AU MASQUE

Né en 1889 dans le Massachussets, Erle Stanley Gardner est admis au barreau de Californie à l'âge de vingt ans. Il exerce pendant vingt-deux ans les fonctions de criminaliste, puis décide de se consacrer au roman policier : après avoir écrit des centaines de récits pour les « pulps » sous des pseudonymes divers, il crée le personnage de Perry Mason, qui devient très rapidement célèbre. Sous le pseudonyme de A.A Fair, il signe également les aventures du tandem Donald Lam — Bertha Cool. Il est mort en 1970, après avoir écrit plus de 130 romans policiers.

Erle Stanley Gardner

LA FEMME
AU MASQUE

Traduit de l'anglais par G.-M. Dumoulin

Librairie des Champs-Élysées

Ce roman a paru sous le titre original :

THE CASE OF THE BAITED HOOK

I

Deux personnes seulement connaissaient le numéro du téléphone particulier de Perry Mason : Della Street, sa secrétaire, et Paul Drake, directeur de l'Agence de Police privée Paul Drake.

C'était une nuit du début de mars. Le temps était franchement détestable. Un vent saturé de pluie gonflait d'une vie fantomatique les rideaux des fenêtres entrebâillées du studio de Perry Mason.

Le téléphone sonnait sur la table de nuit. Mason allongea le bras dans l'obscurité, et fit choir l'appareil sur le sol. Il donna de la lumière, récupéra le récepteur tombé sur la descente de lit, le porta à son oreille et constata, d'une voix incertaine :

– Bon dieu! Della, vous n'êtes pas encore couchée?

– Mr Mason? répondit une voix d'homme.

– Oui, dit Mason, surpris. Qui est à l'appareil?

– Ici, Cash, annonça la voix.

– Que désirez-vous? demanda Mason.

– Que vous vous rendiez immédiatement à votre bureau.

– Et moi, dit Mason, je désire rester dans mon lit.

– J'ai deux billets de mille dollars dans mon portefeuille, Mr Mason, articula soigneusement l'inconnu. Si vous venez à votre bureau et si vous acceptez l'affaire dont je veux vous charger, je vous remettrai ces deux mille dollars à titre de provision. En outre, je vous verserai dix mille dollars dès que vous aurez à intervenir pour mon compte.

– Il s'agit d'un meurtre? s'informa Mason.

La voix hésita un instant.

– Non.

– Donnez-moi votre nom complet, ainsi que votre adresse...

– J'ai bien peur que ce soit impossible.

– La communication téléphonique ne coûte que cinq *cents*, dit Mason, agacé, et pour ce prix-là n'importe qui peut réveiller n'importe qui au milieu de la nuit et lui promettre le pactole. Avant de me déranger, je veux savoir à qui j'ai affaire.

Une seconde fois, la voix hésita.

– Je m'appelle John L. Cragmore, dit l'inconnu.

– Adresse?

– 5619, Union Drive.

– O.K.! dit Mason. Je serai au bureau dans vingt minutes. Ça vous va?

– Très bien, dit courtoisement son interlocuteur. Je vous remercie, Mr Mason.

Il raccrocha.

Mason rejeta ses couvertures, ferma les fenêtres, s'empara de l'annuaire des abonnés au téléphone. Il n'y avait aucun Cragmore à l'adresse indiquée.

Il composa le numéro de l'Agence Drake.

– Ici, l'Agence de Police privée Paul Drake, énonça d'un ton morne l'homme du service de nuit.

– Ici, Mason, répliqua l'avocat. J'ai rendez-vous dans vingt minutes, à mon bureau, avec un type qui viendra certainement en voiture. Postez un homme à chaque extrémité du pâté de maisons. Relevez les numéros de toute voiture qui s'arrêtera à proximité et soyez prêt à me donner le nom, l'adresse et la profession de son propriétaire. Je passerai chez vous avant d'aller à mon bureau.

Mason s'habilla rapidement, remarqua qu'il était minuit 10, téléphona au gardien de nuit de son garage d'amener sa voiture devant la porte de son domicile, sortit de chez lui et courut à l'ascenseur.

Le liftier noir lui jeta un regard effaré.

– Y tombe une de ces sauces, m'sieur Mason, et vous so'tez?

– Oui, soupira Mason. Il n'y a point de repos pour les coupables.

– Vous êtes coupable, m'sieur Mason? s'exclama le jeune garçon en roulant de grands yeux.

– Non, ricana Mason. Mais mes clients le sont.

Il traversa le hall de l'immeuble, s'engouffra dans sa voiture et démarra. La pluie martelait la carrosserie et ruisselait sur le pare-brise. En arrivant à proximité de son bureau, Mason remarqua qu'aucune voiture ne stationnait devant la porte de l'immeuble. Un peu plus loin, dans les emplacements réservés, trônaient deux des véhicules inénarrables employés par les hommes de l'Agence Drake. Il parqua son automobile, en ferma les portières à clef et s'aventura dans la tempête. Baissant la tête, il fonça à contre-vent vers la porte de l'immeuble où se trouvaient ses bureaux.

Des traces humides sur les dalles du hall lui apprirent que quelqu'un était arrivé avant lui. Il sonna, mais dut attendre une bonne minute avant que le Suédois chargé d'assurer le service de nuit se décidât enfin à amener du sous-sol une cage d'ascenseur.

– Il pleut, bâilla le portier.

– Personne d'arrivé pour moi, Ole? demanda Mason.

– Non... Mais avec cette flotte...

– Quelqu'un est-il descendu des bureaux de Paul Drake, il y a quelques minutes?

– Oui.

– Pas encore remonté?

– Si.

– Personne d'autre?

– Non.

La grille se replia doucement, et Mason s'engagea dans le clair-obscur du long corridor. Mais au lieu de tourner à gauche, vers son propre bureau, il se dirigea du côté opposé, vers la porte aux vitres dépolies qui donnait accès à l'Agence Drake. Derrière la grille du guichet « Renseignements », le garde de nuit l'aperçut, lui adressa un signe de tête, et pressa le bouton qui ouvrait la porte des bureaux. Près d'un radiateur, un petit homme faisait sécher son pantalon fumant. Un imperméable luisant, un chapeau de feutre détrempé pendaient à une patère de bois, au-dessus du radiateur.

– Alors, Frisé? dit Mason, tu t'es avoué vaincu?

– Que diable voulez-vous dire?

– Personne n'est monté, d'après Ole.

– Ce qu'Ole ne sait pas emplirait une bibliothèque, commenta dédaigneusement le petit détective. Ils étaient deux. Un homme et une femme. Le type a tiré un trousseau de clefs de sa poche, a gentiment ouvert la grille d'un ascenseur et hop! ni vu ni connu... Quand je suis arrivé à cet étage, la cabine y était arrêtée, la grille refermée à clef, l'ampoule éteinte dans la cabine...

– Et Ole n'y a vu que du feu, dit Mason.

– Il a bien trop de boulot à se garder les yeux ouverts, gouailla l'homme : il y a cinq minutes que le type et la souris ont débarqué à cet étage.

– Où les as-tu repérés?

– Ils sont arrivés en bagnole, le type au volant. Il a déposé la femme devant l'entrée et a continué jusqu'au premier tournant. Je l'ai laissé parquer sa bagnole, et je l'ai filé ensuite jusque dans la maison.

– Tu as trouvé ce que je t'avais demandé?

– J'ai pris son numéro et consulté les listes. La bagnole appartient à un nommé Peltham, Robert, 3212, avenue Océanique. Je l'ai cherché dans l'annuaire. Il est architecte.

– Et la fille?

– Je sais que c'est une femme, c'est tout ce que je sais. Elle était ficelée dans un grand manteau imperméable. Elle marchait comme si elle avait eu des souliers trop grands de deux ou trois pointures, et tenait un journal devant son nez.

– Un journal?

– Oui. Elle l'a mis sur sa tête comme pour protéger son chapeau, en descendant de la voiture, mais elle l'a tenu devant son visage quand ils sont montés dans l'ascenseur.

– Tâche d'en savoir davantage sur ce Peltham, ordonna Mason.

– Un de nos types est en train de se renseigner sur lui. Vous voulez que je vous fasse un rapport?

– Non, je repasserai par ici tout à l'heure. Je vais mettre une bouteille de whisky dans l'antichambre de mon bureau et laisser la porte ouverte. Tu n'auras qu'à te servir...

– Merci, Mr Mason. Je n'y manquerai pas.

Mason gagna son cabinet, pénétra dans son bureau privé, n'entendit rien, ne vit personne, et revint poser une bouteille de whisky sur la table du planton, dans l'antichambre. Ce fut dans cette occupation que le surprit l'intrusion d'un homme mince, d'une trentaine d'années, qui l'interpella en ces termes :

– Vous êtes Mr Mason, je suppose?

Mason acquiesça.

– Robert Peltham, se présenta le nouveau venu.

Mason leva les sourcils.

– Je croyais que vous vous appeliez Cragmore?

– J'ai changé d'avis, répliqua Peltham.

– Puis-je vous demander pourquoi?

– Pour plusieurs raisons. Premièrement, j'ai été suivi depuis ma voiture jusqu'ici. C'était très habilement fait, mais je m'y attendais un peu. Deuxièmement, je me suis souvenu que les bureaux de l'Agence Paul Drake se trouvaient au même étage que le vôtre... et il y a déjà cinq minutes que l'ascenseur vous a déposé à cet étage. Troisièmement, je remarque que vous placez une bouteille de whisky sur cette table, à l'intention de quelque subordonné trempé par sa filature! En conséquence, je ne tournerai pas plus longtemps autour du pot. Je m'appelle Peltham, Robert Peltham. Vous avez gagné ce premier round. Sachez ne pas en abuser.

– Entrez, dit Mason en montrant la porte de son bureau privé. Vous êtes seul?

– Vous savez fort bien que non.

– Qui est votre compagne?

– Nous allons en parler.

Mason lui indiqua un siège et s'assit derrière son bureau. L'étrange visiteur sortit un portefeuille de sa poche.

– Je suppose, Mr Mason, dit-il en tirant deux billets de mille dollars, que vous ne vous attendiez pas à voir si tôt la couleur de mon argent?

– De quoi s'agit-il? s'informa calmement l'avocat.

– J'ai des ennuis, annonça Peltham.

– Des ennuis de quelle nature?

– Il est inutile que vous vous en souciiez pour l'instant, éluda Peltham. Je veux simplement que vous la protégiez, elle.

– De quoi? s'enquit Mason.

– De n'importe quoi.

– Qui est-elle?

– En premier lieu, dit Peltham, je désire savoir si vous acceptez ma proposition.

– Il faudrait que vous m'en disiez davantage, riposta Mason.

– Par exemple?

– A quoi vous attendez-vous, et de quoi serai-je appelé à la protéger? Et puisqu'elle est ici, pourquoi ne pas la faire entrer?

Peltham releva les yeux.

– Comprenez-moi bien, Mr Mason. Personne ne doit savoir qui est cette femme.

– Pourquoi?

– Parce que si nos relations devenaient publiques, cela provoquerait la catastrophe que j'essaie précisément d'éviter.

– Qu'est-elle pour vous?

– Tout, répliqua Peltham sans hésitation.

– Et vous voulez que je représente une femme dont j'ignore l'identité? Vous me demandez l'impossible. Comment voulez-vous que je sauvegarde les intérêts d'une cliente, si je ne sais pas qui elle est?

Peltham se leva, se dirigea gravement vers la porte de sortie du bureau privé de Perry Mason. Il repoussa le loquet automatique et sortit dans le corridor. Mason entendit le murmure d'une courte conversation. Un instant plus tard, la porte se rouvrit et Peltham fit entrer sa compagne dans la pièce.

Un ample imperméable de coupe masculine l'enveloppait des épaules aux chevilles. Un petit chapeau enfoncé sur le front dissimulait sa chevelure, tandis qu'un loup de velours à paillettes, à travers lequel scintillaient deux grands yeux sombres, rendait méconnaissable la partie supérieure de son visage.

– Entrez, chérie, et asseyez-vous, dit Peltham.

La femme traversa le bureau et s'assit en face de

l'avocat. Le bout de son nez, la courbe ferme de ses lèvres rouges, et la portion visible de son menton trahissaient sa jeunesse, mais rien d'autre ne permettait de formuler une hypothèse quelconque sur son âge exact. Mains soigneusement gantées, elle se tenait immobile sur sa chaise, les deux pieds chaussés de galoches trop grandes, posées à plat sur le tapis du bureau.

– Bonsoir, dit Mason.

Elle ne parut pas l'avoir entendu, mais ses yeux – étincelants, mobiles et sombres – se posèrent sur lui, à travers les fentes du masque. Mason commençait à s'amuser ferme.

Le plus naturellement du monde, Peltham sortit de sa poche un second portefeuille, duquel il tira un billet de dix mille dollars.

– Veuillez vous assurer de son authenticité, Mr Mason, dit-il.

Il tendit le billet à l'avocat, qui l'examina rapidement et le lui rendit.

– Avez-vous une paire de ciseaux, chérie? demanda Peltham.

Sans mot dire, la femme ouvrit son sac à main et remit à son compagnon une paire de ciseaux à ongles aux lames incurvées. Avec des gestes précis, Peltham sépara en deux fragments inégaux le billet de dix mille dollars.

Il montra à Perry Mason que les deux sections dentelées s'assemblaient parfaitement, tendit à la femme masquée, en même temps que les ciseaux à ongles, la plus grande portion du billet de dix mille dollars, posa l'autre sur les deux billets de mille dollars, et poussa le tout vers l'avocat.

– Je ne vous demande pas de reçu, dit-il. Votre parole me suffit. Vous ne connaîtrez jamais l'identité de cette femme, à moins que votre protection lui devienne nécessaire. Dans ce cas, et en guise d'introduction, elle vous remettra l'autre fraction de ce billet de dix mille dollars, que vous pourrez reconstituer et verser au crédit de votre compte en banque. De cette façon, le montant de vos honoraires est garanti, et personne d'autre ne pourra réclamer votre assistance en mon nom.

Mason se redressa sur son siège, fit face à Robert Peltham et récapitula :

– Vous voulez que je représente cette femme dont j'ignore l'identité. Demain, quelqu'un peut entrer dans mon bureau et me proposer une affaire. Je l'accepterai. Plus tard, une femme que je ne connaîtrai pas me remettra l'autre moitié du billet en question et me demandera de la défendre. S'il se trouve que ses intérêts et ceux de la personne précitée sont diamétralement opposés, je serai engagé à la fois pour et contre elle!...

» Ceci résume ma position. Votre affaire m'intéresse et m'amuse, mais je ne puis l'accepter.

Peltham se massa lentement la tempe gauche, d'un geste qui devait lui être familier.

– Très bien, dit-il au bout de quelques instants, voici comment nous allons nous y prendre. Vous serez libre d'accepter tout ce qu'on viendra vous proposer, à l'exclusion de toute affaire me touchant de près ou de loin, ou paraissant m'intéresser soit directement, soit indirectement. Si une telle affaire vous était proposée, vous devriez, avant de l'accepter, m'en demander l'autorisation.

– Et comment vous demanderai-je cette autorisation? insista Mason. Pourrai-je vous joindre sans délai, si le besoin s'en fait sentir?

De nouveau, Peltham se massa la tempe gauche.

– Non, dit-il enfin. Mais il y a un autre moyen.

– Lequel?

– Vous mettriez alors une annonce dans le *Journal des Entrepreneurs*, colonne des communications personnelles, adressée simplement à P. et signée M., et dans laquelle vous me demanderiez si vous pouvez accepter l'affaire proposée par la ou les personnes en question.

— Ce ne serait pas loyal pour mes autres clients, objecta Mason. Ils n'aiment pas en général qu'on publie leurs noms dans les colonnes d'un journal.

— Ne mentionnez aucun nom, dit Peltham. Prenez l'annuaire du téléphone et indiquez le numéro de la page, la colonne et la position du nom dans cette colonne. Par exemple, s'il s'agit d'une personne dont le nom se trouve page 1000, quatrième nom de la troisième colonne, mettez simplement : « Si je m'engage envers 1000-3-4, risquerai-je de travailler contre vous ? »

— Et vous répondrez ?

— Si je n'ai pas répondu dans un délai de quarante-huit heures, vous pourrez vous considérer parfaitement libre d'accepter cette affaire.

— Mais comment saurai-je si une affaire vous concerne ou non ? Vos intérêts s'étendent, si je ne me trompe, dans de nombreuses directions, et...

Peltham l'interrompit. Et sa voix, pour la première fois, contenait une trace de la tension qui l'habitait.

— Vous le saurez demain, dit-il, si toutefois vous lisez les journaux...

— C'est ridicule, déclara Mason. Ça ne tient pas debout.

Peltham désigna les deux mille dollars.

— Je ne vous demande pas de reçu en contrepartie de cet argent, lui rappela-t-il. Je me contente de votre parole. Vous n'aurez sans doute même pas à intervenir, et ces deux mille dollars vous resteront acquis. Vous jouez donc sur le velours. Et si vous devez intervenir, vous recevrez automatiquement dix mille dollars supplémentaires.

— J'accepte votre proposition, mais à une condition, dit Mason d'un ton décisif.

– Laquelle?

– Je servirai vos intérêts en toute loyauté et avec la bonne foi la plus absolue. Mais si je me trouve impliqué dans une affaire illégale, ou simplement dangereuse pour moi au regard de la loi, je conserve le droit de vous retourner vos deux mille dollars et d'abandonner cette affaire aussi complètement que si je n'en avais jamais entendu parler.

Peltham jeta un coup d'œil circulaire.

– Pouvons-nous entrer ici un instant? demanda-t-il en désignant la porte de la bibliothèque.

– Allez-y, dit Mason. Vous avez peur que j'entende la voix de Madame?

Peltham ouvrit la bouche pour répondre, mais d'un nouveau hochement de tête affirmatif la femme prévint ses paroles.

Mason se mit à rire.

– Allez-y, répéta-t-il. C'est vous le metteur en scène. Moi, je suis le critique impartial.

Peltham prit le bras de sa compagne, et tous deux entrèrent dans la bibliothèque. Les galoches embarrassaient l'inconnue, et rendaient sa démarche curieusement gauche. L'imperméable pendait en plis informes sur ses épaules trop étroites pour l'ample vêtement. Il était impossible de deviner, à travers cette housse disgracieuse, le moindre soupçon de sein et de hanche, mais quelque chose dans son allure suggérait qu'elle devait être jeune et svelte.

Mason se renversa sur son siège, croisa les chevilles sur le bord de son bureau, ferma les yeux et attendit.

La conférence secrète ne dura pas plus de trois minutes.

– Nous acceptons votre proposition, annonça Peltham. Je sais que je puis compter sur votre bonne foi et sur votre loyauté.

– Je ferai de mon mieux, répliqua Mason. C'est tout ce que je peux vous promettre.

Peltham parut un instant sur le point d'abattre toutes ses cartes.

– Ecoutez..., commença-t-il, le visage bouleversé, la voix rauque d'émotion.

Il se reprit, respira profondément et dit :

– Mr Mason, je n'agirais pas de cette façon absurde si ce n'était pas absolument nécessaire. Si quelqu'un connaissait mes relations avec Madame, nous serions perdus. Il faut à tout prix qu'elle reste en dehors de tout cela. A tout prix, vous me comprenez?

– Je ne comprends pas la nécessité de cette mascarade, repartit Mason. Je n'ai jamais trahi les secrets de mes clients. Si cette jeune femme veut bien ôter son masque et...

– C'est impossible, coupa Peltham. J'ai mis au point le seul plan qui assure notre protection à tous.

– Vous n'avez pas confiance en moi? demanda Mason.

– Supposez, répliqua Peltham, que vous ayez connaissance des faits considérés par la police comme des preuves importantes. Auriez-vous le droit de les garder secrets?

– Je protégerais les intérêts de mon client, dit Mason. Je suis avocat. Les communications de mes clients sont strictement confidentielles.

– Non, trancha Peltham. C'était le seul moyen.

– Vous aviez, selon toute évidence, soigneusement préparé cette entrevue? reprit Mason.

Peltham fit un geste évasif.

– Quoi que je puisse faire, expliqua-t-il, je prépare toujours mes plans à l'avance. Je suis depuis des mois la marche de votre carrière, et j'ai décidé, voici peut-être un an, que si j'avais un jour besoin d'un avocat, ce serait à vous que je m'adresserais. Il pourra vous intéresser de savoir, Mr Mason, que c'est moi qui ai dressé les plans de cet immeuble, lorsqu'il fut construit, et que j'y possède encore des intérêts de co-propriétaire. Venez, chérie.

Elle se leva et, sans un mot, se dirigea vers la porte de sortie.

– Bonsoir, miss Invisible, lui jeta Perry Mason.

Prise à l'improviste, elle faillit tomber dans le piège; elle se retourna, ses lèvres tremblèrent au bord d'une réponse machinale à cette salutation. Puis elle sourit nerveusement, esquissa une révérence et sortit.

Mason empocha les deux billets de mille dollars, regarda le morceau dentelé du billet de dix mille et s'esclaffa. Traversant la pièce, il ouvrit son coffre-fort, plongea sa main à l'intérieur, repoussa bruyamment la lourde porte et brouilla la combinaison.

Mais le billet mutilé n'était pas dans le coffre-fort.

Il remit son imperméable, ferma à clef la porte de l'antichambre, retourna dans son bureau privé et gagna la porte de sortie. Ainsi qu'il l'avait supposé, Peltham ne l'avait pas refermée. Un cran de sûreté retenait en position d'ouverture le loquet automatique.

Il débloqua le cran de sûreté, éteignit les lumières et claqua la porte derrière lui.

L'ascenseur obscur et verrouillé n'avait pas quitté le septième étage. Il sonna le portier, qui jaillit bientôt avec la cage voisine.

– Un de tes ascenseurs est coincé à cet étage, Ole? demanda Mason.

Le portier regarda l'ascenseur ténébreux.

– Nom d'un chien de bonsoir de nom d'un chien! jura-t-il avec une stupéfaction trop parfaite pour n'être pas authentique.

Mason pénétra dans la cage illuminée.

– O.K.! Ole, dit-il. On redescend.

II

Della Street ouvrait le courrier matinal lorsque Mason entra dans le bureau.

– Vous êtes tombé du lit? s'informa-t-elle.

– Pas le moins du monde. Je suis venu lire le journal.

Elle leva les yeux. Un rire imminent tremblait aux coins de ses lèvres. Puis elle vit son expression et ouvrit de grands yeux.

– Vous avez l'intention d'écrire une histoire contemporaine, patron? demanda-t-elle.

Il repoussa, sans lui accorder un regard, le courrier posé sur son sous-main, et déplia le journal.

– Il a plu, cette nuit, remarqua-t-il.

– O combien! Mais je l'ai su sans ouvrir le journal.

– Moi aussi, dit Mason en souriant. Peu après minuit, j'ai reçu, à titre de provision, deux mille dollars et une portion d'un billet de dix mille dollars. J'ai eu une conversation intéressante avec une femme masquée et un homme apparemment fort ennuyé, qui a insinué que je trouverais des nouvelles dans les journaux du matin.

– Qui étaient ces gens?

– Robert Peltham, architecte, d'une part. Il avait essayé de me faire croire qu'il s'appelait John L. Cragmore, 5619 Union Drive. C'est la seule erreur qu'il ait commise. Il n'y a pas de Cragmore à cette adresse dans l'annuaire des téléphones.

– Continuez, dit Della.

Mason lui rapporta brièvement les péripéties de la nuit écoulée.

– Mais comment s'est-il procuré votre numéro privé, patron? Il n'est pourtant pas dans l'annuaire?

– Ce qui vous prouve avec quel soin il avait préparé sa campagne.

– Il n'aurait donc pas agi sur l'inspiration du moment?

– Sa visite de cette nuit a dû être motivée par quelque chose d'inattendu, mais il y avait apparemment belle lurette qu'il avait décidé qu'en cas de besoin d'un avocat ce serait à moi qu'il s'adresserait, et il avait, d'avance, dressé pour m'atteindre un plan détaillé qu'il avait classé au fond de son esprit... Et ceci vous dépeint avec exactitude le tempérament de l'individu.

– Et cette histoire d'ascenseur? demanda Della Street.

– C'est l'unique point sur lequel la chance l'ait réellement aidé. Il a des intérêts dans l'immeuble, dont il a d'ailleurs dressé les plans, et possède probablement un double de toutes les clefs. A toutes fins utiles, je n'ai pas laissé le fragment du billet de dix mille dollars passer la nuit au bureau. Il avait la clef de l'ascenseur. Il pouvait aussi bien avoir celle de mon bureau.

– Et la femme? Vous croyez que cette visite en sa compagnie faisait également partie de son plan?

– Non. Je suis virtuellement certain qu'elle s'est décidée à l'improviste. Prenez ce masque, par exemple. Un loup noir garni de paillettes. Ce n'était pas un masque acheté pour la circonstance, mais un souvenir de bal travesti, un article de cotillon tel qu'en conservent les femmes dans un tiroir de leur commode.

– Et vous ne pouvez absolument rien me dire d'elle, patron?

– Elle n'avait certainement pas plus de trente ans, dit Mason, et je la parierais bien faite. Mains petites, dissimulées par des gants trop grands. Deux bagues à la main droite, une seule à la main gauche, visibles en relief, sous les gants en question. Elle avait retourné les chatons vers ses paumes.

— Une alliance? demanda Della.

— Je ne le pense pas. Et elle avait peur de me laisser entendre sa voix.

— Alors, vous la connaissez, conclut Della Street.

— C'est possible, mais je crois plutôt que c'est parce que j'aurai prochainement l'occasion de la connaître.

— Comment allons-nous enregistrer cette histoire?

Mason lui tendit le morceau du billet de dix mille dollars.

— Comme vous voudrez... et classez quelque part ce puissant appât.

Della Street fit une moue incrédule.

— Vous savez très bien que cette mystérieuse Mrs X... vous intéresse davantage que la galette, dit-elle. Pourquoi ne pas appeler ça « L'Affaire de la maîtresse masquée »?

— C'est une idée, approuva Mason, bien que ça ne rende peut-être pas justice à la moralité de la jeune personne.

— Avait-elle l'air d'une femme à cheval sur les principes?

— Ça, ricana Mason, c'est déjà difficile à dire quand on entend leurs voix et qu'on voit quel usage elles font de leurs mains et de leurs décolletés. Cette femme n'a jamais ouvert la bouche ni remué les mains, et elle portait un imperméable boutonné jusqu'au cou. Inscrivez sur le dossier : « L'Affaire de la gueule du loup », et vous serez dans le vrai, quelles qu'en puissent être les suites.

— Et vous comptez en trouver l'explication dans le journal? Vous voulez que je vous aide?

— En voilà un morceau, dit Mason. Je m'occupe du reste. Ne laissez rien échapper, faire-part de mariages, de naissances ou de décès, publications de bans, annonces de divorces... surtout les divorces...

Un quart d'heure plus tard, Della Street releva les yeux et constata que Mason lisait la rubrique sportive.

– Vous avez trouvé quelque chose? s'informa-t-elle ironiquement.

– Non.

– Je n'ai rien trouvé non plus. A-t-il eu l'air de dire qu'il s'agissait de quelque chose d'obscur?

– Absolument pas. Je m'attendais plutôt à une large manchette en première page, quelque chose d'impossible à rater, quoi.

– Alors, c'est que le feu n'est pas encore aux poudres.

– Et tant que le feu n'est pas aux poudres, lui rappela Mason, je cours le risque d'accepter une affaire de divorce contre Mrs X... et de voir Mrs X... arriver avec l'autre moitié du billet de dix mille dollars et me le brandir sous le nez en s'écriant : « C'est ainsi que vous traitez vos clients! »

Gertie, la grande blonde de trente ans et soixante-quinze kilos qui trônait derrière le guichet « Renseignements », frappa doucement, poussa la porte et demanda :

– Pouvez-vous recevoir A. E. Tump?

– Qu'est-ce qu'il veut? riposta Mason.

– Ce n'est pas un « il », c'est une « elle ».

– Comment avez-vous dit?

– A. E. Tump, mais c'est une femme.

– Qu'est-ce qu'elle veut?

– Vous voir.

– Jeune? s'informa Mason.

– Soixante-cinq ans environ, mais elle a encore du sex-appeal, si vous voyez ce que je veux dire.

– Bon dieu, Gertie, gémit Mason, est-ce une de ces vieilles coquettes qui...

– Oh! non, mais elle a de la personnalité et elle sait s'en servir.

– Allez voir ce qu'elle veut, Della, dit Mason. Et rapportez-moi sa photo parlée.

Della Street revint au bout de quelques minutes.

– Elle a les cheveux blancs, le visage max-factorisé, une circonférence imposante et un air gentiment dominateur. Elle semble avoir de l'argent, et sait ce qu'elle veut et comment l'obtenir. Je crois que vous devriez la recevoir.

– Quel est l'objet de sa visite?

– C'est au sujet d'un compte de tutelle et d'une adoption illégale.

– Faites-la entrer, dit Mason.

Et Della introduisit la nouvelle cliente dans le bureau privé.

– Bonjour, Mrs Tump, dit courtoisement Mason.

Elle lui sourit et s'assit dans le grand fauteuil.

– Vous m'avez été annoncée sous le nom de A. E. Tump, continua Mason en riant. Je vous ai d'abord prise pour un homme.

Un large sourire épanouit le visage de la vieille dame.

– A représente Abigail, E égale Esther, dit-elle. Deux prénoms que je n'ai jamais pu voir en peinture. Ils empestent la respectabilité et les citations bibliques.

– Pourquoi n'en avez-vous pas changé? demanda Mason.

– Ça m'aurait causé des tas d'ennuis. Tous mes biens sont sous le nom d'Abigail E. Tump... En tout cas, j'ai baptisé ma fille Cléopâtre Circé. Ça l'embête prodigieusement, mais, au moins, elle n'est pas enchaînée à une vie médiocre par des prénoms qui sont de véritables carcans de respectabilité conventionnelle.

Perry Mason et Della Street échangèrent un clin d'œil égayé.

– Associez-vous donc la respectabilité à la médiocrité? s'enquit l'avocat.

– Pas obligatoirement, concéda-t-elle. Mais je déteste les étiquettes.

– Est-ce au sujet de votre fille que vous désirez me consulter?

– Non. Elle a épousé un banquier de Des Moines. Affreusement collet-monté, selon moi. Elle est devenue un pilier de respectabilité et déteste ses prénoms autant que je déteste les miens. Aucun de ses amis ne connaît le deuxième... Circé!

Mason sourit.

– Alors, à quel sujet désiriez-vous me voir?

– Ça remonte à 1918, peu de temps avant l'armistice.

– Oui?

– J'allais en Afrique du Sud, à bord d'un navire britannique sur lequel se trouvaient également deux réfugiés russes. Ils voyageaient incognito. Lui avait été un grand personnage sous l'ancien régime. Il leur avait fallu deux ans pour échapper au bolchevisme, et leur petite fille était restée en arrière.

Mason fit un signe de tête et offrit une cigarette à Mrs Tump.

– Plus tard, Mr Mason, se récusa-t-elle. Pour l'instant, je veux vider mon sac.

Mason alluma sa propre cigarette, tandis que Della Street levait son crayon au-dessus d'un bloc de sténo, prête à noter les grandes lignes de la conversation.

– Le navire a été torpillé sans sommations par un sous-marin allemand, continua Mrs Tump. Ça n'a pas été drôle, je vous assure. Il me suffit de fermer les yeux pour m'y croire encore. Il faisait nuit, et la mer était mauvaise. A peine touché, le navire s'était mis à donner de la bande. De nombreux canots de sauvetage avaient chaviré. Il y avait des gens dans l'eau, mais on ne les voyait pas. On ne voyait que des bras levés et des mains qui tentaient de s'agripper aux flancs d'acier du navire.

Mason hocha la tête avec sympathie.

— Pour en venir au couple dont je vous ai parlé, reprit Mrs Tump, ils m'avaient confié leur odyssée. La femme avait un pressentiment. Elle avait la certitude que nous serions torpillés. Son mari en avait fait un sujet de plaisanterie. La veille du naufrage, elle était venue me trouver dans ma cabine. Elle avait fait un rêve qu'elle qualifiait de « vision ». Elle m'avait demandé de lui promettre, au cas où quelque chose lui arriverait, et que je m'en tire moi-même, d'aller rechercher sa fille en Russie, et de trouver un moyen de l'en faire sortir.

Les yeux de Mason se rétrécirent, mais il n'émit aucun commentaire.

— Elle m'avait remis des bijoux. Elle n'avait pas beaucoup d'argent, mais une fortune en bijoux. S'il n'arrivait rien au navire, il me suffirait de les lui rendre.

— Et elle a péri dans le naufrage? demanda Mason.

— Tous les deux. Ils étaient dans le premier canot de sauvetage. Je l'ai vu chavirer de mes propres yeux et se briser contre la coque du navire. Mais tout ceci n'est que préliminaire, Mr Mason. J'eus la chance de m'en tirer, j'allai en Russie, retrouvai la petite fille et parvins à lui faire franchir la frontière. Comment, je vous le raconterai peut-être un jour, mais peu importe pour l'instant. C'était une enfant merveilleuse. Un sang royal coulait dans ses veines. J'ai demandé à ma propre fille de l'adopter, mais son mari n'a rien voulu savoir. Alors... J'ai bien peur d'avoir fait quelque chose d'impardonnable, Mr Mason.

– Quoi donc?

– Je ne pouvais pas l'élever moi-même... et je l'ai placée dans une institution.

– Quelle institution?

– Le « Foyer Caché », qui se trouvait alors dans une petite ville de Louisiane. Leur spécialité était de s'occuper des enfants dont les parents ne pouvaient s'occuper eux-mêmes.

Elle s'arrêta un instant, le front barré d'une double ride.

– Ce que j'ignorais alors, Mr Mason, dit-elle d'une voix hésitante, c'est que... ils faisaient le trafic de bébés.

– Qu'entendez-vous par là?

– L'enfant est un article très demandé, dit-elle avec un sourire forcé. Les couples qui ne peuvent en avoir cherchent à en adopter. J'ai découvert plus tard que presque toutes les femmes employées par l'institution étaient de futures filles-mères. Elles y mettaient leur enfant au monde et s'en allaient. Certaines payaient le prix de la pension, et d'autres ne le pouvaient ou ne le désiraient pas.

– Vous faisiez évidemment partie de la première catégorie?

– Oh oui! Et, grâce à Dieu, j'ai conservé tous mes vieux chèques acquittés.

– Et l'enfant? demanda Mason.

– Au bout d'un an, après avoir mis de l'ordre dans mes affaires, je suis allée au « Foyer Caché » pour la reprendre.

– Elle n'était plus là? suggéra l'avocat.

– Exactement. Ils l'avaient vendue mille dollars. Vendue, Mr Mason. Comme un cheval ou une automobile.

– Qu'ont-ils dit?

— Qu'ils regrettaient, mais que je ne leur avais jamais rien payé. Puis lorsque je leur ai mis sous le nez les chèques acquittés par eux, ils ont essayé de me les ravir par tous les moyens. J'ai fait une histoire du tonnerre de Dieu. Le district attorney s'en est mêlé, et le « Foyer Caché » a disparu dans le néant. J'ai su plus tard comment ces gens-là pratiquaient. Quand quelqu'un met les pieds dans le plat, ils passent dans un autre Etat, adoptent une autre raison sociale et reprennent leur trafic.

— Mais leurs livres devaient montrer ce qu'il était advenu de votre protégée, objecta Mason.

— Naturellement, mais le « Foyer » n'a pas voulu l'admettre. Ils ont menti et tergiversé. J'aurais dû alors engager un avocat et les traîner devant les tribunaux, mais je me suis contentée de porter plainte. Le district attorney était en vacances, je suis retournée à New York, où j'ai attendu de ses nouvelles. Lorsqu'il m'a écrit, il paraissait très content de lui-même. Grâce à mes efforts – je le cite – le « Foyer Caché » avait été complètement dissous, et il me félicitait d'avoir conservé mes chèques acquittés, etc., etc. Je suis retournée en Louisiane et lui ai dit que je voulais l'enfant et non des félicitations. Il m'a répondu qu'il me faudrait engager un avocat, et que son bureau ne s'occupait que des aspects les plus larges de l'affaire. Vous vous rendez compte! Les aspects les plus larges de l'affaire! Je lui aurais volontiers sauté à la gorge.

Ses yeux gris étincelaient de rage rétrospective.

— Et vous avez suivi son conseil? l'encouragea Mason.

— Oui. Les avocats m'ont saignée aux quatre veines et proprement menée en bateau. D'après eux, le « Foyer Caché » avait détruit ses registres, pour couper court à toutes poursuites légales, et définitivement renoncé à son ignoble trafic! Ah! ouiche! Ils étaient simplement réinstallés dans le Colorado, mais je ne le savais pas à l'époque...

– Et comment l'avez-vous appris?

– Avec un peu de chance et beaucoup de patience, dit-elle. Un de leurs anciens comptables, qui, en raison du potin que j'avais fait dans la boutique, se souvenait de toute la transaction, a fini par se mettre en rapport avec des avocats... Ils m'ont retrouvée et, bien entendu, m'ont offert de me vendre les renseignements qu'ils possédaient.

– Et vous avez accepté?

– Je sais que je n'aurais pas dû, mais j'en avais soupé des autorités officielles. J'ai payé... très cher... mais j'ai eu les renseignements... L'enfant avait été baptisée Byrl, et adoptée par un certain Mr Gailord. Gailord et sa femme habitaient cette ville.

– Quand avait eu lieu cette adoption?

– Deux mois après l'arrivée de l'enfant à l'orphelinat, les Gailord y étaient venus, en quête d'un bébé à adopter. La petite les avait rapidement conquis; et le « Foyer » leur avait dit qu'elle n'était pas encore libre pour l'adoption, mais que dès que les paiements cesseraient d'être effectués – comme cela se produisait généralement – ils le leur feraient savoir.

» Les Gailord ne voulaient pas attendre. Ils offrirent mille dollars, payèrent probablement d'autres pots-de-vin, à droite et à gauche, et prirent l'enfant en promettant de la restituer si quelqu'un en faisait la réclamation légitime... Peut-être même étaient-ils sincères, à l'époque, mais vous savez ce que c'est... Ils se sont attachés à elle, et...

– Mais, Mrs Tump, intervint Mason. Cette jeune fille est majeure, à présent, et elle peut disposer de sa propre personne.

– Oui, reconnut Mrs Tump. Mais voici ce qui s'est passé. Les Gailord étaient riches. Frank Gailord mourut, laissant à sa veuve la moitié de ses biens, et l'autre moitié à Byrl, sur un fonds de tutelle qu'elle devait toucher à vingt-sept ans... Puis Mrs Gailord épousa en secondes noces un bon à rien du nom de Tidings et mourut cinq ans plus tard, laissant à Byrl la totalité de ses biens, et la plaçant sous la tutelle de Tidings. Depuis, Tidings s'est remarié et vit actuellement séparé de sa femme... Je ne vous donne tous ces détails que pour vous faciliter la compréhension de mon exposé, Mr Mason, mais la véritable question c'est qu'Albert Tidings, tuteur actuel de Byrl, est la dernière personne au monde à qui confier l'administration d'un compte de tutelle. Si vous voulez mon opinion, ce n'est rien de plus qu'une fripouille.

– Vous l'avez vu? demanda Mason.

– Bien sûr. Je suis allée le trouver, et je lui ai dit ce que je pensais de lui.

– Qu'a-t-il répondu?

– Il m'a dit de voir son avocat.

– Et c'est pourquoi vous avez décidé de me consulter?

– Oui.

– Vous avez tout expliqué à Byrl... au sujet de ses parents?

– Bien entendu. Ça lui a causé un choc. Elle avait toujours considéré les Gailord comme ses véritables parents.

– Et que voulez-vous que je fasse? demanda Mason.

– Je veux que vous prouviez qu'à l'origine l'adoption était illégale, et que Tidings soit déchu de son titre de tuteur.

– Afin, compléta doucement Mason, que vous puissiez être nommée à sa place?

– Afin que Byrl puisse jouir de sa fortune, voyager, voir le monde, et faire un beau mariage.

– Elle peut se marier demain, si elle le désire, lui fit remarquer l'avocat.

– Oui, mais elle n'évolue pas dans un milieu digne d'elle...

– Tout ce que vous venez de me raconter, Mrs Tump, déclara Mason, n'a que fort peu d'influence sur la situation. Byrl est majeure. Vous n'avez dans cette affaire aucune position légale. Vous n'êtes pas de sa famille. Les parents vous ont demandé de faire sortir cette jeune fille de Russie et de la protéger. Vous l'avez fait sortir de Russie. Ensuite... je vais être très franc avec vous, Mrs Tump... un habile avocat démontrerait qu'ayant reçu les bijoux et amené l'enfant en Amérique, vous avez cessé de vous intéresser à elle.

– Pas le moins du monde, protesta-t-elle. J'écrivais souvent au « Foyer » et ils me répondaient à chaque fois.

– Vous avez conservé ces lettres?

– Oui.

– Tidings ne faisait pas partie de la fraude originale, continua Mason, et Byrl n'a aucune raison légitime de se plaindre. C'est à cause de cette adoption qu'elle hérite une fortune.

– Mais elle n'a jamais été légalement adoptée, objecta Mrs Tump.

– Comment cela?

– Eh bien! voilà... Quand les Gailord l'ont prise chez eux, ils savaient qu'ils ne pouvaient pas l'adopter immédiatement, et plus tard, lorsque je me suis mise à jeter des pavés dans la mare, les avocats du « Foyer » ont veillé à ce que tout se passe aussi secrètement que possible. Ils ont eu peur que la procédure d'adoption me permette de retrouver la trace de Byrl, et ont conseillé aux Gailord de ménager par testament les droits de l'enfant, en lui laissant tout simplement croire qu'ils étaient ses véritables parents.

– Je puis faire ordonner une vérification du compte de tutelle, dit Mason. Sans doute pourrais-je aussi obliger Tidings à verser à Byrl la totalité de ses revenus et peut-être une portion de son capital. Si Tidings a quoi que ce soit à se reprocher, nous pourrons aisément le faire débouter de ses prérogatives.

– C'est tout ce que je voulais savoir, dit Mrs Tump. Si vous désirez de plus amples renseignements sur Albert Tidings, vous pourrez vous adresser à un homme qui le touche de fort près. Ils font conjointement partie de divers organismes, dont un conseil de trois administrateurs chargé de gérer les fonds de subvention d'un hôpital.

– Les renseignements qu'il pourra me donner me seront fort précieux, approuva Mason. Comment s'appelle cet homme?

– Il est très riche et très influent, monsieur Mason, dit-elle. En outre, c'est un de vos grands admirateurs. C'est lui, d'ailleurs, qui m'a envoyée à vous.

– Son nom, je vous prie, et son adresse.

– Robert Peltham, architecte, énonça-t-elle. 3212, avenue Océanique, mais il a un bureau en ville, où vous pourrez plus facilement le joindre.

Mason évita le regard de Della Street.

– Merci, Mrs Tump, dit-il. J'aimerais effectivement prendre contact avec Mr Peltham avant d'accepter votre affaire.

– Mais il n'a rien à voir avec mon affaire, en dehors des renseignements qu'il est susceptible de vous donner. Pourquoi ne pas l'accepter et prendre ensuite contact avec Mr Peltham?

Mason déposa sa cigarette dans un cendrier.

– Vous n'avez aucune position légale dans cette affaire, Mrs Tump, dit-il enfin. Ainsi que je vous l'ai déjà fait remarquer, vous n'êtes pas parente de miss Gailord. Il me faudra donc causer avec miss Gailord et obtenir son autorisation directe.

– A 2 heures, demain après-midi, proposa Mrs Tump, si toutefois ça vous convient.

– Je serai très heureux de lui ménager un rendez-vous à cette heure-là, acquiesça Mason.

Mrs Tump jaillit des profondeurs du fauteuil.

– Je vais la prévenir immédiatement, annonça-t-elle. Oh! à propos, Mr Mason, j'ai bien peur d'avoir mis la charrue avant les bœufs.

– C'est-à-dire?

– Eh bien!... Quand Mr Tidings m'a répondu d'aller voir son avocat, je lui ai dit qu'il allait voir le mien, et que Mr Perry Mason lui rendrait visite à 11 heures ce matin. J'espère que je n'ai pas mal agi?

– Vous habitez cette ville depuis un certain temps, Mrs Tump? éluda Mason.

– Non, dit-elle. J'y suis venue récemment parce que Byrl s'y trouvait. Je suis descendue à l'*Hôtel Saint-Germain*.

– Vous avez l'adresse de Byrl Gailord?

– Mon Dieu... bien sûr! Appartements Vista Angeles. Nous partirons en voyage dès que cette histoire sera éclaircie. Dans l'intervalle, c'est moi qui la finance. Elle sera votre cliente, Mr Mason, évidemment, mais c'est moi qui réglerai vos honoraires et c'est à moi que vous devrez demander des instructions.

– Merci, Mrs Tump, conclut Mason. Je vous reverrai demain à 2 heures, en même temps que Byrl Gailord.

– Et ce rendez-vous avec Mr Tidings?

– Je vais me mettre en rapport avec lui.

Elle lui tendit la main.

– Vous me redonnez confiance, Mr Mason, dit-elle. J'avais fini par contracter une sorte de phobie de la profession légale. Mais Mr Peltham m'avait dit que vous étiez comme ça. Il a l'air d'en savoir long sur votre compte... Peut-être l'avez-vous déjà rencontré personnellement?

Mason ne put s'empêcher de rire.

– Je vois tant de gens, dit-il. Et tant de gens me connaissent que je ne connais pas...

– Bien sûr, coupa Mrs Tump. C'est la rançon de la gloire. Allons, à demain, 2 heures.

Mason osa enfin lever les yeux vers Della Street. Tous deux éclatèrent de rire.

– Après tout, ce n'est peut-être qu'une coïncidence, dit enfin la jeune femme.

– Oui, admit Mason. Il y a à peu près une chance sur dix millions que ce soit une coïncidence.

– En tout cas, Mrs Tump n'est certainement pas la détentrice de l'autre moitié du billet! reprit Della en rappelant d'un geste éloquent la corpulence de la vieille dame.

– Non, dit Mason. Mais il y a Byrl Gailord.

– Evidemment, si Byrl Gailord savait que Mrs Tump avait l'intention de ménager ce rendez-vous, je conçois qu'elle n'ait pas voulu vous faire entendre sa voix... Mais pourquoi toute cette mise en scène?

– Parce qu'elle ne veut pas que Mrs Tump sache qu'elle connaît aussi intimement Peltham... Si toutefois il s'agit bien de Byrl Gailord.

– Et si ce n'est pas elle? insista Della.

– N'y pensez plus pour l'instant, riposta Mason. Appelez-moi ce *Journal des Entrepreneurs*. Dites-leur que nous avons une annonce personnelle à insérer dans leur prochain numéro, établissez la position du nom de Byrl Gailord dans l'annuaire, et composez une annonce demandant à Peltham si je peux la représenter...

– Vous ne pouvez pas la représenter sans vous occuper de Peltham?

– Je pourrais, admit Mason, mais je ne le veux pas. Bâclez-moi cette annonce, Della, dites à Paul

Drake de travailler sur Tidings et demandez-moi Tidings lui-même au téléphone.

Quelques instants plus tard, Della revint.

– Le secrétaire d'Albert Tidings au téléphone, patron, annonça-t-elle. Tidings arrive tout de suite. Je descends déposer l'annonce.

Mason décrocha le récepteur.

– Allô? dit une voix de fausset.

– Mr Tidings? demanda Mason.

– Non, Mr Mason. Ici, le secrétaire de Mr Tidings. Je vous passe Mr Tidings...

– Allô! vociféra soudain une voix claironnante. Qui est à l'appareil?

– Perry Mason, avocat, répondit Mason. Je vous téléphone au sujet d'un rendez-vous pris par Mrs Tump à 11 heures... Allô, c'est bien à Albert Tidings que je parle?

Il y eut un silence et la voix reprit d'un ton méfiant :

– Oui, je suis Albert Tidings. Je suis au courant de ce rendez-vous, mais...

La voix hésita, retomba dans le silence.

– Mrs Tump vient de sortir de mon bureau, résuma Mason. Elle m'a dit qu'elle vous avait annoncé ma visite vers 11 heures ce matin. Ce rendez-vous a été pris sans me consulter et...

– Parfaitement, Mr Mason, coupa la voix claironnante. J'avais l'intention de vous téléphoner moi-même. Nous n'allons pas perdre notre temps à cause des bavardages d'une vieille toquée...

– Il est cependant possible que je veuille causer avec votre avocat, dit Mason.

– J'ai plusieurs avocats, répondit évasivement Tidings.

– Pouvez-vous me dire lequel d'entre eux s'occupera de cette affaire?

– Aucun! s'exclama Tidings. Tout cela est absolument ridicule! Mais si cette femme continue sa

propagande, Mr Mason, c'est moi qui vais la pour-
suivre en justice pour propos diffamatoires. Byrl est
une fille épatante. Elle et moi nous entendons très
bien, mais cette vieille empoisonneuse commence à
me porter sur le système. Elle essaie de monter le
coup à Byrl pour faire sa propre pelote! Vous
pouvez lui dire de ma part qu'elle me le paiera cher,
si elle continue à ce train.

– Dites-le-lui vous-même, répliqua Mason. Je ne
vous ai téléphoné que pour annuler un rendez-
vous.

Tidings émit un rire forcé.

– Excusez-moi, Mr Mason, dit-il, je me suis laissé
emporter par la colère. Venez me voir à votre
meilleure convenance. Au revoir...

Mason raccrocha, repoussa sa chaise, se leva, et
se mit à tourner comme un ours en cage.

III

Perry Mason lisait dans son lit lorsque le téléphone sonna.

– Allô! patron? dit Della. Vous avez lu le journal
du soir?

– Je l'ai parcouru. Pourquoi?

– Je viens de lire que des experts-comptables
avaient été appelés à vérifier les livres de l'Hôpital
Fondation Elmer Hastings. Des accusations ont été
portées par un membre de la famille Hastings. Une
firme d'experts-comptables assermentés a été
convoquée pour procéder à un apurement préliminaire des comptes. Les fonds de subvention sont
administrés par un triumvirat composé d'Albert
Tidings, Robert Peltham et un certain Parker C. Stell.

Mason réfléchit quelques secondes en silence.

– Je suppose que c'était ce que voulait dire Peltham en me recommandant de surveiller les journaux, murmura-t-il.

– Je n'avais pas l'intention de vous déranger pour
vous réciter cet article, continua Della. Je l'avais mis
de côté pour vous le montrer demain mais une fois
couchée j'ai pris le journal parlé. Et voici ce que j'ai
entendu : la police a trouvé dans un terrain vague
une automobile aux coussins tachés de sang. Un
imperméable d'homme, également taché de sang,
gisait roulé en boule contre le levier des vitesses.
Une balle avait traversé le côté gauche de l'imperméable. La plaque d'identité portait le nom d'Albert
Tidings, et l'imperméable contenait un mouchoir
marqué A. T. souillé de rouge à lèvres. Une rapide
enquête menée par la police démontre que Tidings
n'a pas été revu depuis midi moins quelques minutes, heure à laquelle il a quitté son secrétaire sans
lui dire où il allait.

– Nous y voilà, soupira Mason.

– Vous voulez que j'appelle Paul Drake pour lui
dire de se mettre au boulot?

– Je vais l'appeler moi-même.

– Puis-je vous être utile?

– Pas pour l'instant, Della. Après tout, cette histoire va nous simplifier le travail.

– Vous trouvez!

– Mais oui. Avec ce qu'il aura déjà sur le dos,
jamais Tidings n'osera nous laisser porter devant
les tribunaux l'histoire du compte de tutelle de Byrl
Gailord. Il fera toutes sortes de concessions... à
condition, toutefois, qu'il ne se soit pas trouvé dans
cet imperméable lorsque la balle l'a traversé. Si tel
est le cas, nous pourrons faire nommer un autre
tuteur et demander des comptes à l'administrateur
de Tidings... Ce qui m'ennuie, ce sont ces traces de
rouge à lèvres sur le mouchoir marqué A. T.

— Auriez-vous perdu votre largeur d'esprit, patron? gouailla Della.

— Je me demandais simplement si la propriétaire de ce rouge à lèvres n'avait pas aussi une moitié de gros billet dans son sac... Ce billet finit par me donner un complexe. Della. J'ai peur de m'endormir et de faire un cauchemar dans lequel une méchante sorcière se transformera en une belle fille armée d'un morceau de billet de dix mille dollars.

— Prenez garde que ce ne soit pas une belle fille qui se transforme en méchante sorcière. Et passez-moi un coup de fil si vous avez peur de vous laisser séduire.

— Manquerai pas. Merci de m'avoir téléphoné. 'Soir, Della.

— 'Soir, patron.

Mason appela l'Agence Drake. Paul n'y était pas, mais l'homme de garde se chargea de le joindre et de lui dire de rappeler Mason aussitôt que possible. Dix minutes plus tard, la sonnerie du téléphone retentit. Mason décrocha le récepteur :

— Allô! Perry? dit la voix traînante de Paul Drake. J'ai quelques renseignements sur Tidings.

— Intéressants?

— Un peu de tout... Il est marié. Pour la deuxième fois. Sa première femme était Marjorie Gailord, veuve avec un enfant du sexe féminin. Marjorie est morte au bout de quatre ou cinq ans de mariage et, quelque temps après Tidings a épousé Nadine Holmes, une actrice de vingt-huit ans, brune et faite au moule. Ils ont vécu ensemble six mois environ. Puis il l'a plus ou moins publiquement accusée d'adultère; elle l'a quitté, elle a demandé le divorce pour « cruauté mentale » et, un beau jour, sans crier gare, a annulé toute la procédure. Mais elle ne veut pas réintégrer le foyer conjugal, et Tidings refuse de lui accorder le divorce. Ou il est fou d'elle, ou il veut simplement lui empoisonner l'existence...

» Il dirige une banque et fait des opérations de bourse. C'est aussi l'un des administrateurs de l'Hôpital Fondation Elmer Hastings, et Adelle Hastings ne l'aime pas. Ils ont eu quelques différends qui ont atteint leur apogée lorsque miss Hastings a demandé la vérification des comptes de l'administration.

– Qui est-elle au juste?

– L'arrière-petite-fille du fondateur de l'hôpital, répondit le détective. L'argent de la famille a été englouti par la dépression d'après-guerre. Elle aurait bien besoin d'un peu de celui que son grand-père a dispersé dans des œuvres de charité. Elle est pauvre, mais fière du nom qu'elle porte et de l'hôpital qui porte son nom.

– Elle n'a plus rien? s'étonna Mason.

– Rien, en dehors – paraît-il – d'une silhouette à la Jane Russell et d'une position sociale nullement en rapport avec son absence de fortune. Elle est secrétaire quelque part, mais tous les sang-bleu la reçoivent comme une égale. Elle travaille toute la semaine et passe ses week-ends sur des yachts de millionnaires ou dans des propriétés somptueuses.

– O.K.! dit Mason. A moi. Les flics ont trouvé la bagnole de Tidings parquée je ne sais où avec du sang sur les coussins et un imperméable troué d'une balle sur le plancher. L'imperméable appartient probablement à Tidings, et il n'est pas exclu qu'il se soit trouvé dedans lorsque la balle l'a traversé.

– Eh! comment savez-vous tout ça? coupa Drake.

– Informations de dernière minute, entendues à la radio par Della. Elle vient de me téléphoner.

– Je vais me mettre au boulot, acquiesça Drake. Quels sont les ordres?

– Ne faites rien de vous-même. C'est trop tôt.

– Je vous rappelle? proposa Drake.

– Non. J'ai peu dormi la nuit dernière.

– Oui, j'en ai entendu parler. A propos, Perry, ce type dont mes hommes se sont occupés pour votre compte... il fait partie, avec Tidings, du conseil d'administration de l'hôpital?

– Oui.

– Est-ce que ça signifie quelque chose?

– Je n'en sais rien encore.

– Vous voulez que je pousse une pointe dans ce sens?

– Pas pour l'instant, Paul. Surveillez juste le développement de l'enquête officielle et tenez-moi au courant. Mettez-y un de vos meilleurs hommes... En revanche, voici quelque chose qui m'intéresse. J'en ai besoin rapidement, mais c'est fragile. A manier avec précaution.

– O.K.! De quoi s'agit-il?

– De Robert Peltham. Il faut à tout prix qu'il ignore cette enquête, mais je veux le nom de la femme pour laquelle il en pince.

– Il n'est pas marié? demanda Drake.

– Je n'en sais rien.

– S'il est marié, il ne doit pas crier sur les toits le nom de sa maîtresse, objecta Drake. Il me faudra peut-être un jour ou deux.

– Il vaudrait mieux que je le sache avant deux heures, demain après-midi, riposta Mason. Voyez ce que vous pouvez faire, Paul.

– O.K.! Perry, je vais essayer.

Mason raccrocha et ne trouva le sommeil qu'au bout d'une heure et demie... Vers 10 heures, le lendemain, lorsqu'il atteignit son bureau, les événements avaient fait boule de neige et la boule de neige était en passe de se transformer en avalanche.

L'examen préliminaire des experts-comptables avait mis à jour un sérieux manque à l'appel dans les fonds de subvention de l'Hôpital Elmer Hastings. Fait curieux, et qui ne facilitait nullement la tâche des experts-comptables, toutes les souches de chèques, tous les chèques annulés et tous les relevés de comptes bancaires avaient disparu. D'après ce qui restait de la comptabilité, il était évident qu'une somme d'environ deux cent mille dollars avait été prélevée sur les fonds administrés. Les administrateurs possédant pourtant la faculté de vendre actions, obligations et autres titres, et d'opérer de nouveaux placements, les experts-comptables spécifiaient qu'il leur faudrait, avant de se prononcer, reconstituer diverses transactions et procéder à certaines évaluations sans lesquelles il était impossible d'obtenir un tableau exact de la situation. Aucun prélèvement ne pouvant être opéré sans la signature d'Albert Tidings et celle d'un autre administrateur, les journaux laissaient prudemment entendre que l'affaire risquait d'avoir des suites graves, bien que présentement indéterminées. Robert Peltham n'était pas en ville. Son bureau refusait de fournir une indication quelconque sur la nature de l'affaire qui l'en avait éloigné. Albert Tidings avait mystérieusement disparu. Prenant pour base la découverte de son automobile et de son sinistre contenu, la police le recherchait. Elle n'avait encore rien trouvé.

Parker C. Stell, troisième membre du conseil d'administration, s'était empressé de mettre ses propres livres à la disposition des experts-comptables. Il se déclarait profondément choqué et prêt à seconder les experts dans la mesure de ses possibilités. Il lui était arrivé, disait-il, de signer des chèques, conjointement à Albert Tidings, mais Peltham en avait certainement signé bien davantage. Il admettait que, dans ce qu'il appelait des « limites raisonnables », Tidings avait carte blanche, et que la signature des chèques était considérée comme une pure formalité, lorsque Tidings y avait déjà apposé la sienne. La comptabilité du fonds de subvention avait été tenue exclusivement par Tidings, qui en justifiait de temps à autre par des rapports détaillés.

Adelle Hastings n'avait pas mâché ses mots. Elle avait accusé Albert Tidings de détournements de fonds, Parker Stell d'incompétence crasse; quant à Robert Peltham, elle le déclarait honnête et consciencieux et affirmait qu'Albert Tidings n'aurait jamais osé soumettre à sa signature des chèques afférents à des prélèvements frauduleux.

– Je suppose que c'était à quoi il faisait allusion, commenta Mason en relevant les yeux vers Della Street. Bizarre que ça se soit déclenché vingt-quatre heures plus tard qu'il l'escomptait.

Elle acquiesça, réfléchit un instant et dit :

– Vous ne trouvez pas étrange, patron, qu'Adelle Hastings soutienne ainsi Robert Peltham? Tidings a disparu. L'imperméable taché de sang peut n'être qu'un subterfuge destiné à lancer la police sur une fausse piste. Peltham s'est esquivé. Parker Stell est là, apparemment décidé à faire son possible pour seconder la justice, et c'est lui qu'elle accuse de crédulité et d'incompétence.

– Continuez, Della, l'encouragea Mason. Si vous pouvez penser tout haut, ça m'évitera un bon mal de tête.

– Miss Hastings devait être sûre de son terrain pour lancer de telles accusations. Selon toutes les apparences, Peltham a les pieds dans la boue tout autant que Tidings, mais Adelle Hastings enfonce le second et soutient le premier.

– Vous insinuez, murmura Mason, que la source d'informations de miss Hastings s'appelle Robert Peltham?

– Eveille-toi, frère Jacques! s'écria Della. J'insinue

qu'Adelle Hastings pourrait bien être la détentrice de l'autre moitié du billet!

Mason fit un bond sur son siège.

– Pas mal, Della, admit-il.

– C'est une simple hypothèse, souligna Della. Mais quand une femme garde sa foi en un homme, malgré toutes les apparences contraires, et prend parti publiquement pour lui, il y a gros à parier qu'elle en est amoureuse. Tout le reste concorde. Vous voyez de quoi ç'aurait eu l'air si, en sa qualité de coadministrateur, Peltham avait secrètement entretenu des rapports amoureux avec Adelle Hastings.

– Mais pourquoi secrètement? objecta Mason. Il aurait pu lui faire la cour et l'épouser... à condition bien sûr qu'il ne soit pas déjà marié.

– Vous m'en demandez trop, patron, dit Della. Je vous propose simplement Adelle Hastings comme détentrice de votre moitié de billet.

Mason allumait une cigarette lorsque Paul Drake frappa à la porte du bureau privé.

– Faites-le entrer, Della, dit Mason. Plus j'y pense, plus je crois que vous avez mis le doigt dessus. Et, dans ce cas, Peltham n'aura aucune raison de s'opposer à ce que nous acceptions l'affaire Gailord... 'jour, Paul.

Paul Drake était grand et mou. Du moins en apparence. Il était plus mince que Mason, marchait d'un pas languide, parlait d'une voix traînante, et semblait incapable de se tenir debout sans le secours des murs, tables, ou classeurs sur lesquels il ne manquait jamais de s'appuyer.

– 'Jour, Della, soupira-t-il en s'affalant sur le vaste fauteuil de cuir. 'Jour Perry, à vous le pompon.

– Pourquoi? s'enquit Mason.

– Vous avez le chic pour dénicher de vraies histoires de fous. Vous étiez dans le coup, pour l'affaire Tidings?

Mason regarda Della, et dit :

– Non.

– Est-ce que les amours de Tidings vous intéressent, Perry? demanda Drake.

– Vous avez trouvé quelque chose?

– Il se peut que je sois sur la piste de Tidings.

– De quoi s'agit-il exactement?

– Voilà... Il y a trois jours, Tidings a dit à l'un de ses amis intimes qu'il s'apprêtait à prendre sa femme au piège. Il avait l'intention de s'introduire chez elle pour l'obliger à le faire éjecter *manu militari*. Il avait l'air de croire que ça lui procurerait un avantage légal quelconque. Sa femme, d'après lui, était en train d'essayer d'obtenir le divorce pour abandon...

» Je l'ai cherchée sur les registres de la Compagnie d'Electricité. Elle habite dans un lotissement des collines, un de ces coins où l'on a un beau panorama et toute la solitude désirable. J'ai l'impression que Tidings y est allé après avoir quitté son bureau. On pourrait peut-être y faire un saut?

– Qu'est-ce qu'on risque? gouailla Mason. Della, appelez-moi Byrl Gailord.

– Quel rôle tient-elle dans la distribution? demanda Drake.

– Elle est, sans l'être, la fille de la première femme de Tidings. En réalité, il y a là-dessous une histoire d'adoption... Rien d'autre à me dire, Paul?

– Rien de bien passionnant. Impossible de mettre la main sur la maîtresse de Peltham.

– Il est marié?

– Non. C'est le genre d'homme d'affaires austère et ascétique. Vous êtes sûr qu'il a une maîtresse?

– C'est à vous de me le dire, Paul, ricana Mason. Moi, je me contente de protéger mes clients.

– Byrl Gailord sur votre ligne, patron, annonça Della Street.

Mason décrocha le récepteur qui reposait sur son bureau.

– Allô! miss Gailord?

– Bonjour, Mr Mason, répliqua une voix harmonieuse et chaude. Merci de me téléphoner. Nous avons rendez-vous à deux heures de l'après-midi n'est-ce pas?

– Oui. Mais les événements se précipitent. Vous avez lu les journaux, je suppose?

– Oui. Qu'est-ce que tout ça signifie?

– Je n'en sais rien encore, dit Mason, mais on vient de me passer un tuyau que je m'apprête à vérifier. Vous êtes au courant de ce que fait Mrs Tump en votre nom?

– Oui.

– Et vous êtes entièrement d'accord avec elle? Vous désirez que je vous représente?

– Parfaitement. Mrs Tump vous a consulté pour mon compte.

– Connaissez-vous Mr Peltham?

Elle hésita un instant.

– C'est un ami de Mrs Tump. C'est lui, je crois, qui vous a recommandé à elle.

– Oui... Vous vous entendez bien avec Mr Tidings?

– Nous avons toujours été d'excellents amis. Je n'avais jamais douté de lui jusqu'à ces dernières semaines. J'ai essayé d'approfondir les choses et l'oncle Albert – c'est ainsi que je l'appelle – s'est mis en colère et m'a dit que Mrs Tump m'empoisonnait l'esprit pour s'emparer du contrôle de mes biens. Mais c'est absolument faux. J'ai confiance en elle, et elle a carte blanche pour agir en mon nom.

– C'est tout ce que je voulais savoir, conclut Mason. A cet après-midi.

Il raccrocha et dit à Della :

– Demandez le *Journal des Entrepreneurs*, Della. Je veux savoir si Peltham a répondu à mon an-

nonce... Allô! le *Journal des Entrepreneurs*? continua-t-il un peu plus tard, lorsque Della lui eut passé
la communication. Ici, Perry Mason. J'ai mis une
annonce personnelle dans votre journal, ce matin.
J'aimerais savoir si vous avez reçu une réponse.

– Un instant, répondit une voix d'homme.

– Allô... parfaitement, Mr Mason, reprit la voix
après quelques instants. Une jeune femme l'a déposée il y a à peine une heure. « O.K.! Allez-y. R.P. »
Nous allons la publier dans notre prochaine édition...

– Merci beaucoup, dit Mason.

Puis se tournant vers Paul Drake :

– En route, Paul, décida-t-il. Nous allons rendre
visite à l'épouse traquée.

IV

Mason passa en seconde au pied de la montée. La
route escaladait en lacets les flancs abrupts d'une
classique colline californienne. Le lotissement était
relativement nouveau et comportait encore de
nombreux emplacements vides. Au sommet de la
montée, où le terrain plat rendait inutiles les travaux de nivellement nécessaires à flanc de coteau,
s'aggloméraient une demi-douzaine de petites villas.
Mason regarda les numéros, s'arrêta devant la dernière.

– Nous y voilà, dit-il.

Deux cents mètres plus loin, la route aboutissait à
une sorte d'esplanade circulaire où les autos pouvaient tourner. Le soleil était chaud, le ciel uniformément bleu. Très loin, vers le nord-est, scintillait
la neige aux faîtes des montagnes.

– Les rideaux sont tirés, constata Mason. La maison paraît vide.

– Ou elle est vide ou ses habitants se planquent, précisa Drake.

Mason parcourut la courte allée et sonna. Ils entendirent résonner la sonnette, mais rien ne bougea.

– Si on essayait la porte de derrière? suggéra le détective.

– Mon Dieu, je crois que... Eh! minute, Paul, qu'est-ce que c'est que ça?

Drake suivit la direction de son regard, distingua, près du seuil, une tache ronde d'un brun rougeâtre entourée de menues éclaboussures de même teinte.

Mason remua les pieds, s'exclama :

– En voilà une autre, Paul.

– Et une autre derrière vous, dit Drake.

– Quelqu'un est entré ou sorti, qui perdait du sang avec abondance...

– Alors? demanda Drake.

– La porte n'est pas fermée, Paul, annonça Mason.

– Eh! doucement..., commença le détective.

Mason s'accroupit pour examiner les taches de sang.

– Il y a un bon moment qu'elles sont là, dit-il, Je me demande si le soleil vient jusqu'ici dans l'après-midi... Le sang a l'air cuit.

– Alors, Perry? réitéra Paul Drake.

En guise de réponse, Mason frappa violemment et la porte s'entrebâilla.

– Et voilà, Paul, dit-il. Vous êtes témoin. J'ai frappé à la porte et elle s'est ouverte.

– O.K.! admit Drake. Mais je n'aime pas ça du tout. Qu'est-ce qu'on fait?

Mason entra dans la maison.

– Il y a quelqu'un? cria-t-il.

C'était un bungalow classique, avec de larges fenêtres, des radiateurs à gaz, une paroi de contre-plaqué ouverte sur une salle à manger, et une porte battante communiquant avec la cuisine. Les deux autres portes donnaient probablement accès aux chambres à coucher. Le sol était couvert de nattes indiennes.

Au centre d'une de ces nattes, Mason repéra une nouvelle tache rouge, puis une autre. Un peu plus loin, une troisième s'étalait sur le plancher nu. Mason suivit la piste jusqu'au seuil d'une des chambres.

– Vous n'allez pas entrer? souffla Drake.

Mason ne répondit pas et entra.

La bouffée d'air qui assaillit leurs narines avait une odeur fétide. C'était une atmosphère qui sentait la mort. Un seul regard à la forme humaine étendue sur le lit suffisait à confirmer le message de cette atmosphère immobile et surchauffée.

– Appelez la Brigade criminelle, Paul, dit Mason. Le téléphone est là-bas.

Le détective ne se le fit pas dire deux fois.

Mason pénétra plus avant dans la pièce et regarda autour de lui.

C'était, apparemment, une chambre de femme. Des pots de crème et des flacons garnissaient la coiffeuse. Le plancher était parsemé de taches rouges. Il n'y avait pas de couvre-pieds sur le lit, mais la couverture saturée d'un sang brunâtre qui avait séché sous le cadavre en une large tache circulaire.

Le veston croisé de l'inconnu était entièrement déboutonné. Le sang s'était infiltré jusque dans le tissu de son pantalon. Il portait des chaussettes de soie, mais ses chaussures étaient absentes. Ses paupières gonflées recouvraient imparfaitement ses prunelles vitreuses. Sa bouche béante paraissait emplie d'une pulpe rouge grisâtre. Ses lèvres étaient entourées de traces grasses et pourpres qui devaient être du rouge à lèvres et qu'on n'eût pas remarquées si l'homme avait été vivant, mais que la pâleur de la mort rendait péniblement évidentes.

Le radiateur à gaz fonctionnait à plein rendement. Les fenêtres étaient closes, les stores baissés. Mason mit un genou en terre, regarda sous le lit, ne vit rien. Il ouvrit un placard, constata qu'il ne contenait que des toilettes féminines. Il entra dans la salle de bains. Des taches d'un rouge délavé souillaient la cuvette du lavabo. Une serviette raide de sang séché gisait sur le sol. Mason pénétra dans la pièce voisine; elle ne contenait aucun vestige d'une occupation récente. Mason revint sur ses pas et rejoignit Paul Drake au moment où il raccrochait le récepteur.

– Tidings? demanda le détective.

– Je ne sais pas. Probablement.

– Vous avez fouillé ses vêtements?

– Non.

Drake poussa un soupir de soulagement.

– Sortons, coupa l'avocat. Nous allons tout laisser comme nous l'avons trouvé...

– Mais les gars de la brigade relèveront nos empreintes à l'intérieur de la maison, objecta Drake. Nous devrions... Eh!... Ecoutez! Voilà une bagnole!

Ils entendirent une automobile passer devant la maison, virer au bout de la route, revenir et s'arrêter. Drake écarta les rideaux et annonça :

– Une conduite intérieure... Belle poule au volant... Elle descend... Jambes O.K.!... Elle vient ici, Perry. Qu'est-ce qu'on fait?

– Poussez la porte, Paul, dit Mason. La serrure est automatique.

Les talons de la femme claquèrent sur l'allée de ciment. Mais au lieu du coup de sonnette attendu, ils entendirent le grincement caractéristique d'une clef entrant dans la serrure. Puis la porte s'ouvrit, et la femme pénétra dans la pièce.

Un instant aveuglée par la transition entre le soleil extérieur et la demi-obscurité ambiante, elle ne remarqua pas les deux hommes, se dirigea vers la chambre à coucher, puis aperçut Mason, écarquilla les yeux, lâcha son sac, son manteau, son trousseau de clefs, tourna les talons et tenta de s'enfuir.

Drake s'interposa entre elle et la porte.

Elle se mit à crier.

– Doucement! dit Mason. Je suis avocat. Et cet homme est détective. Autrement dit, nous ne sommes pas des voleurs. Qui êtes-vous?

– Comment êtes-vous entrés?

– Par la porte, répondit Mason. Elle était entrebâillée.

– Mais elle était fermée à clef quand je... Qu'est-ce que tout ça veut dire?

Elle avait un peu moins de la trentaine, et portait avec beaucoup de chic des vêtements juvéniles qui soulignaient la minceur élancée de sa taille, la brune opulence de sa chevelure, et la ferme maturité de ses seins. Son visage était maquillé avec un art minutieux.

– Vous habitez ici? questionna Mason.

– Oui.

– Alors, vous devez être...

– Mrs Tidings, compléta-t-elle.

– Votre mari habite-t-il ici?

– J'ignore pourquoi vous me posez cette question. Quel droit aviez-vous, du reste, de vous introduire chez moi en forçant ma porte?

– Nous n'avons pas forcé la porte, assura Mason. Je crois qu'il est de votre intérêt de répondre à cette question. Mrs Tidings. Votre mari habite-t-il ici?

– Non. Nous sommes séparés.

– Vous ne vous êtes pas réconciliés, récemment?

– Je ne vois pas en quoi cela vous regarde!

Elle avait repris son sang-froid et ses yeux étincelaient d'indignation.

– Asseyez-vous, Mrs Tidings, lui conseilla Mason. La police va arriver d'un instant à l'autre.

– La police?... Pourquoi...

– A cause de ce que nous avons trouvé dans la chambre à coucher, expliqua Mason en désignant les taches qui souillaient le plancher.

Elle fit un pas en avant, examina les taches, et soudain mordit sa petite main gantée.

– Doucement, répéta Mason.

– Qui... qui... qu'est-ce que...

– Nous ne le savons pas encore. Mais il vaut mieux que vous vous prépariez à subir un grand choc. Je pense qu'il s'agit de quelqu'un que vous connaissez.

– Quelqu'un que je connais... Pas... Non, ce n'est pas possible...

– Votre mari, dit Mason.

– Mon mari! s'exclama-t-elle.

Il y avait de l'incrédulité dans sa voix; de l'incrédulité mêlée, semblait-il, d'une sorte d'étrange soulagement. Et soudain, à nouveau, la panique.

– Vous voulez dire qu'il a... qu'il aurait pu...

– Je crois que le cadavre est celui de votre mari, spécifia Mason.

Elle étouffa un cri, et courut vers la chambre à coucher. Mason la saisit par le bras.

– Ne faites pas ça, dit-il. Il peut y avoir des empreintes, sur cette clenche.

– Mais j'ai le droit de savoir!

– Cessez d'envisager les choses de votre point de vue! coupa Mason. Mettez-vous un peu à la place de la police. Prenez la peine de réfléchir!

Elle le regarda un instant sans mot dire. Puis elle traversa la pièce et s'assit sur un canapé.

— Qu'est-il arrivé? demanda-t-elle.

— Quelqu'un lui a logé une balle dans le corps.

— Quand?

— Je n'en sais rien. Il était à son bureau hier matin. Je lui ai parlé au téléphone. Il a dû sortir peu de temps après... Vous ne savez rien vous-même?

— Non. Je suis partie de chez moi lundi après-midi et... je viens d'arriver.

— A quelle heure êtes-vous partie?

— Pourquoi?

— Les policiers vous poseront ces questions, dit Mason en souriant. Après tout, le crime a eu lieu dans votre maison. Et ça ne vous fera pas de mal de rassembler vos esprits avant l'arrivée de la police.

— C'est très gentil de votre part. Pourquoi êtes-vous venus ici?

— Nous pensions que Mr Tidings pourrait y être venu lui-même après avoir quitté son bureau mardi matin. Vous ne l'aviez pas vu depuis un certain temps?

— Non. Nous... nous ne nous entendions pas du tout.

— Pouvez-vous me dire où vous êtes allée lundi après-midi?

— J'ai roulé presque toute la nuit.

— Où êtes-vous allée?

— Chez une amie. Et depuis, je suis restée avec elle.

— Vous n'aviez pas emporté de bagages?

— Non... Je me suis décidée au dernier moment. J'avais... eh bien!... j'avais des ennuis personnels.

— Où habite votre amie?

— A Reno.

— Et vous êtes allée lundi à Reno?

— Oui. J'y suis arrivée mardi matin, de très bonne

heure. Je me sentais beaucoup mieux, après tous ces kilomètres.

– Et vous n'en avez pas bougé depuis?

– Non. Je suis repartie hier soir, vers 10 heures.

– Où avez-vous passé la nuit dernière?

Elle rit nerveusement, et secoua la tête.

– Je ne voyage pas de cette façon-là, expliqua-t-elle. Quand je veux arriver quelque part, je roule, je dors quelques minutes au volant, sur le bas-côté de la route, je redémarre, et je recommence. Je préfère rouler la nuit.

– La police vérifiera soigneusement vos assertions. Si vous pouvez les satisfaire, ce sera beaucoup moins dur pour vous. C'est un conseil d'ami...

Une sirène ébranla le silence. Une voiture-radio surgit au sommet de la côte et s'arrêta pile devant la maison. Un policier sauta sur le trottoir et se dirigea vers la porte d'entrée. Drake alla ouvrir. Le policier le fusilla du regard et poussa la porte d'un coup d'épaule.

– Lequel d'entre vous a téléphoné à la Brigade criminelle? aboya-t-il.

– Moi, répliqua Drake. Je suis détective privé.

– Vous avez votre carte sur vous?

Drake lui tendit sa carte professionnelle.

– Qui est cette femme?

– C'est Mrs Tidings. Elle est arrivée depuis que je vous ai téléphoné.

Le policier jeta à la jeune femme un regard soupçonneux.

– Je viens de revenir de Reno; en voiture, expliqua-t-elle.

– Quand avez-vous quitté Reno?

– Hier soir.

– Elle habite ici, souligna Mason. C'est sa maison. Elle était chez une amie depuis deux jours.

– Je vois... Et qui êtes-vous, vous, au fait? Ah! ça y

est, je vous remets! Vous êtes Perry Mason, l'avocat. Qu'est-ce que vous fabriquez ici?

– Nous étions venus voir Mr Tidings.

– Et vous l'avez trouvé?

– Je crois que c'est lui qui est mort, dans la pièce à côté.

– Je croyais que vous étiez arrivés avant cette femme?

– Parfaitement.

– Alors, comment êtes-vous entrés?

– La porte n'était pas fermée.

– Ouais... Enfin... les gars de la Brigade vont pas tarder à s'amener. Vous n'avez touché à rien, non?

– Rien d'important.

– Des clenches de portes et des trucs de ce genre?

– Peut-être.

Le policier fronça les sourcils.

– O.K.! dit-il. Sortez tous. Inutile de laisser vos empreintes partout. Vous n'avez pas touché au cadavre, non?

– Non.

– Où est-il?

– Dans cette chambre.

– O.K.! dit le policier... Qu'est-ce que c'est que ça? Du sang?

– C'est ce qui nous a conduits au cadavre, exposa Mason. Vous remarquerez que ces taches vont de l'extérieur de la maison jusqu'à la porte de cette chambre.

– O.K.! Je vais jeter un coup d'œil dans cette chambre et je vous suis.

– Cet homme est probablement Albert Tidings, le mari de Madame, dit Mason. Peut-être vaudrait-il mieux qu'elle procède à son identification?

– Elle pourra le faire quand la Brigade criminelle

sera là. Allez, sortez. Je vous appellerai si j'ai besoin de vous.

Ils obéirent, le policier cria à son compagnon demeuré assis au volant de la voiture-radio :

– Tiens-les à l'œil, Jack. Il y a un macchabée dans la piaule !

Puis il réintégra la maison et claqua la porte derrière lui.

Mason offrit à Mrs Tidings une cigarette qu'elle accepta avec gratitude. Il lui donnait du feu lorsque le grondement d'une auto remontant la pente à toute allure commença à se faire entendre.

– C'est sûrement la Brigade criminelle, dit Mason.

La voiture de la Brigade bondit sur la partie plane de la route, fonça vers eux, s'arrêta court. Des hommes en jaillirent. Le conducteur de la voiture-radio sauta à terre et présenta son rapport à voix basse. L'autre apparut à la porte de la maison et cria :

– Par ici, les gars !

Le sergent Holcomb marcha sur Perry Mason.

– Salut ! Mason, dit-il. Comment se fait-il que vous soyez ici ?

– J'avais à causer avec Albert Tidings, et je pensais le trouver ici.

– Ah, ah ?

– Je crois qu'il s'agit de son cadavre, dit Mason. A mon avis, il doit être là depuis hier après-midi, pour le moins. Le radiateur à gaz était allumé, et les fenêtres et porte hermétiquement closes. Il faudra que vous en teniez compte lorsque vous établirez l'heure de sa mort.

– Quand êtes-vous arrivé ?

– Il y a environ une demi-heure.

– Vous l'aviez déjà vu ?

– Non.

– Vous lui aviez parlé au téléphone ?

– Oui. Hier matin.

– A quelle heure?

– Un peu avant 11 heures.

– Qu'a-t-il dit?

– J'avais rendez-vous avec lui. Je voulais annuler ce rendez-vous et lui en fixer un autre.

– A quel sujet, ce rendez-vous?

Mason sourit et secoua la tête.

– Allons, allons, l'admonesta le sergent. Pour résoudre un meurtre, il nous faut des motifs. Si vous me disiez pourquoi vous aviez rendez-vous avec lui, nous aurions peut-être un superbe motif.

– Et, d'un autre côté, vous n'en auriez peut-être pas, riposta Mason.

Le sergent Holcomb serra les mâchoires.

– O.K.! dit-il. Ne partez pas avant que je vous en donne l'autorisation... C'est votre voiture?

– Oui.

– Et l'autre?

– C'est celle de Mrs Tidings... Mrs Tidings, puis-je vous présenter le sergent Holcomb?

Holcomb n'ôta pas son chapeau.

– Qui êtes-vous, par rapport à Tidings? demanda-t-il.

– Je suis sa femme.

– Vous vivez avec lui?

– Non. Nous sommes séparés.

– Divorcés?

– Non... c'est-à-dire... pas encore.

– Pourquoi?

Elle rougit.

– Je préfère ne pas en discuter pour l'instant.

– Il le faudra bien, tôt ou tard, grogna le sergent. Restez par ici. Je vais entrer.

Holcomb rejoignit ses hommes. Mason jeta sa cigarette et l'écrasa sur le sol cimenté.

– A titre de curiosité, Mrs Tidings, dit-il, votre mari était-il déjà venu ici?

– Une fois.

– Etait-ce une visite amicale?

– Non... Une visite d'affaires.

– Etait-il question entre vous d'une pension alimentaire?

– Non. Enfin... pas sérieusement. La pension n'était qu'un détail. Je m'en moquais absolument.

– Vous vouliez votre liberté?

– Pourquoi toutes ces questions?

– Parce que vos réponses pourraient aider ma cliente, et que la police vous y fera répondre de toute manière.

– Qui est votre cliente? Byrl Gailord?

– Qu'est-ce qui vous le fait penser?

Elle l'observa attentivement.

– Vous n'avez pas répondu à ma question, dit-elle.

– Ni vous à la mienne, riposta Mason.

Il s'éloigna de deux ou trois pas. Puis soudain, il revint vers Mrs Tidings.

– Vous avez l'air de quelqu'un de bien, dit-il familièrement.

– Merci.

– Vous ne seriez pas en train de nous mener en bateau, par hasard?

– Que voulez-vous dire, Mr Mason?

Le sergent ouvrit la porte de la maison, fit signe à Mrs Tidings.

– Entrez, dit-il.

Mason tira son étui de sa poche, et choisit soigneusement une autre cigarette.

– Allez-y prudemment, murmura-t-il. Et si vous avez quelque chose à me dire, vous feriez mieux de me le dire maintenant.

Mrs Tidings secoua la tête, et marcha d'un pas ferme vers la porte de la maison.

V

Della Street faisait le guet à l'entrée du bureau privé de Perry Mason. Lorsqu'il déboucha dans le corridor, elle lui fit signe de venir à elle sans passer par le bureau de réception.

— Je suis attendu, Della? questionna Mason.

— Oui... Mrs Tump et Byrl Gailord.

— Mais leur rendez-vous n'est qu'à 2 heures de l'après-midi!

— Je sais, mais elles sont complètement retournées. Elles disent qu'il faut absolument que vous les receviez tout de suite.

— Et la fille? De quoi a-t-elle l'air?

— Elle n'est pas jolie, jolie, mais elle a un corps irréprochable et une forte personnalité. Elle décrocherait un premier prix dans n'importe quel concours de beauté, car une fois dans un de ces minuscules maillots modernes, elle n'aurait qu'à se montrer pour que les jurés du sexe masculin oublient de regarder son visage. Elle a les yeux et les cheveux noirs. Elle s'habille bien, remue beaucoup les mains en parlant et bouillonne de vie.

— Bah!... Autant les recevoir maintenant, décida Mason. Nous sommes tombés sur un os, là-bas.

— Quel genre d'os?

— Albert Tidings, gentiment farci d'un pruneau de 38. Pas question de suicide, puisque ni la peau ni les vêtements ne portaient de marques de poudre, et que les flics n'ont pu trouver l'arme fatale. Tidings avait dans sa poche-revolver un 32 qui n'a pas servi. De plus, les policiers n'ont pu mettre la main sur ses chaussures, et sa bouche portait des traces de rouge à lèvres.

— Quand le corps a-t-il été découvert?

— Quand nous sommes arrivés là-bas.

– Vous voulez dire que c'est vous qui l'avez découvert?

– Exactement. La police estime que nous découvrons trop de cadavres, et Paul est en pleine crise de légalité... Mrs Tidings est arrivée pendant que nous étions là. Elle revenait de chez une amie qui habite Reno.

– Comment est-elle? demanda Della.

– Elle a de la branche, répliqua Mason. Elle a pris tout ça très bien. Elle a dit aux flics qu'elle ne l'aimait pas, qu'il lui avait fait toutes sortes de sales blagues, qu'elle voulait divorcer et que lui ne marchait pas.

– Et ceci fait d'elle la suspecte numéro un? suggéra Della.

– Aux yeux des flics, oui. Ils vont éplucher son alibi sur toutes les coutures. Holcomb a appelé Reno pendant que j'étais encore là. Il semble qu'elle se soit réellement trouvée là-bas avec des amis... Et pourtant je n'ai pu m'empêcher de succomber à mon complexe habituel.

– C'est-à-dire?

Mason sourit.

– J'ai fait une allusion discrète, au cas où elle aurait eu dans son sac la moitié d'un billet de dix mille dollars.

– Et quelle a été sa réaction?

– Nulle. De toute manière, elle a quitté la ville lundi après-midi. Ses amies affirment qu'elle est arrivée à Reno avant l'aube. La police de Reno vérifie ses dires, mais Holcomb lui-même a paru s'en contenter...

– Vous n'aurez pas besoin de représenter Mrs Tump et miss Gailord si Tidings est mort, patron, dit Della.

– Sans doute que non. Le tribunal nommera d'office un autre administrateur.

– Je les fais entrer? proposa Della Street.

– Oui, allez-y.

Della sortit et revint avec Mrs Tump et une jeune personne à la taille flexible, dont les yeux vifs parcoururent la pièce avant de se poser, approbateurs, sur Perry Mason.

– Voici Mr Mason, Byrl, dit Mrs Tump. Mr Mason, je vous présente Byrl Gailord.

Deux lèvres rouges et souriantes, une double rangée de petites dents étincelantes, un regard intense et noir, un décolleté prometteur... Byrl Gailord n'était peut-être pas jolie, mais aussi vive que les couleurs de la robe qui la moulait, et infiniment désirable.

– Je m'excuse de vous importuner, Mr Mason, dit-elle, mais lorsque j'ai répété vos paroles à Mrs Tump... Vous savez, au sujet du tuyau qu'on venait de vous passer, et que vous vous apprêtiez à vérifier... eh bien! nous n'avons pas pu attendre davantage.

– Ça ne fait rien, dit Mason. Le tuyau m'a claqué dans les doigts. Asseyez-vous donc.

– De quoi s'agissait-il? demanda Mrs Tump. Qu'avez-vous découvert?

Mason attendit qu'elles se fussent assises et continua :

– Albert Tidings est mort. Nous l'avons découvert étendu sur un lit, dans un bungalow appartenant à sa femme, et nous avons prévenu la police. Il avait reçu une balle dans le côté droit. La police n'a pu mettre la main sur l'arme du crime. Sa bouche était tachée de rouge à lèvres.

Byrl Gailord étouffa une faible exclamation. Mrs Tump écarquilla les yeux.

– Vous êtes sûr que c'était lui? demanda-t-elle.

– Oui, répliqua Mason. Mrs Tidings l'a identifié.

– Le corps a été trouvé chez elle?

– Oui.

– Où était-elle pendant ce temps-là?

— Elle revenait de Reno, dit Mason. Elle est arrivée peu de temps après nous.

— Je suis heureuse qu'il ne s'agisse pas d'un suicide, murmura Byrl Gailord. J'aurais toujours eu l'impression de l'y avoir indirectement poussé.

— Ridicule! s'exclama furieusement Mrs Tump.

— Je l'aimais beaucoup, insista Byrl Gailord, bien que sous certains rapports j'aie cessé d'avoir confiance en lui.

— C'était un escroc, affirma Mrs Tump. Un vulgaire escroc!

— Il a toujours été très gentil avec moi, observa Byrl en se mordant les lèvres et refoulant ses larmes.

— Il pouvait l'être! s'emporta Mrs Tump. Il jonglait avec votre argent!

— C'est possible, admit Byrl, mais je suis certaine que ses intentions étaient bonnes. Peut-être a-t-il fait de mauvais placements? S'il a détourné une partie de mon argent, je ne pense pas qu'il l'ait fait sciemment, mais... (elle se tourna vers Mrs Tump) je lui en voulais d'être aussi injuste envers vous.

Mrs Tump n'émit aucun commentaire.

— Quand est-ce arrivé? demanda enfin Byrl Gailord.

— Mardi après-midi, répondit Mason. Le coroner a ordonné une autopsie rapide pour déterminer l'heure exacte.

— Et que devient Byrl, dans tout ça? s'informa Mrs Tump.

— Le tribunal va nommer un autre administrateur qui procédera à une vérification minutieuse des comptes de tutelle, dit Mason.

Les yeux de Mrs Tump rencontrèrent ceux de l'avocat.

— Voyons les choses comme elles sont, monsieur Mason... Cela veut-il dire que nous n'aurons pas besoin de vos services?

– Oui, répliqua Mason.

– Je ne vois pas pourquoi, intervint Byrl Gailord.

– Parce qu'il ne peut plus rien faire à présent, expliqua Mrs Tump. Il est inutile de payer des honoraires à Mr Mason si son intervention n'est plus nécessaire.

– Exactement, approuva Mason.

– Vous ne pouvez réellement rien faire? insista Byrl Gailord. Vous ne pouvez pas... eh bien!... veiller à mes intérêts, en quelque sorte.

– Je peux les avoir à l'œil, dit Mason. Si je trouve quelque chose qui justifie mon intervention, je vous en parlerai. Le tribunal va sans doute nommer une firme spécialisée pour gérer vos biens.

– Pourrais-je être nommée moi-même? questionna Mrs Tump.

– C'est possible. Mais le tribunal nommera plutôt un organisme possesseur des moyens de vérification nécessaires à l'apurement des comptes de tutelle.

– Le cas échéant, j'engagerais à mes frais des experts-comptables...

– De toute manière, il nous faudra attendre quelques jours, dit Mason.

Le téléphone sonna. Mason s'excusa, décrocha le récepteur.

– Le sergent Helcomb veut vous voir immédiatement, annonça la standardiste.

Mason réfléchit une seconde.

– Vous lui avez dit que j'étais occupé, Gertie?

– Oui.

– Vous ne lui avez pas donné les noms de mes clients, j'espère?

– Bien sûr que non!

– Dites-lui que j'arrive tout de suite.

Mason raccrocha.

– Le sergent Holcomb, de la Brigade criminelle,

veut me voir immédiatement, dit-il. Excusez-moi. Ce ne sera certainement pas long.

Il gagna le bureau de réception, après avoir refermé derrière lui la porte de son bureau privé.

– Où peut-on causer? demanda Holcomb.

– Dans la bibliothèque, proposa Mason.

– O.K.! Mattern, suivez le mouvement, dit le sergent au jeune homme qui l'accompagnait.

En s'effaçant pour les laisser entrer dans la bibliothèque, Mason examina rapidement le jeune homme. Il devait approcher la trentaine, et sa tête paraissait beaucoup trop grosse pour le corps qui la portait. Son front bombé, ses yeux légèrement proéminents lui donnaient une apparence de hibou intellectuel encore accentuée par une énorme paire de lunettes à monture noire.

Mason referma la porte de la bibliothèque.

– De quoi s'agit-il, sergent? questionna-t-il.

D'un signe de tête, Holcomb désigna le jeune homme aux épaules étroites.

– Carl Mattern, dit-il, secrétaire de Tidings.

Mason s'inclina imperceptiblement. Mattern n'ouvrit pas la bouche. Il avait l'air profondément agité.

– Vous représentez Byrl Gailord? demanda Holcomb.

Mason hésita.

– Sur un certain plan, oui, concéda-t-il enfin.

– L'autre nom? ordonna Holcomb à Mattern.

– Tump. Mrs A. E. Tump.

– Elle est aussi votre cliente?

– Pas exactement. Où voulez-vous en venir?

– Mattern dit que vous avez causé avec Tidings, hier, au téléphone, au sujet d'un rendez-vous.

– Oui. Je vous l'ai d'ailleurs dit moi-même.

– Vous lui demandiez ce rendez-vous pour discuter avec lui des affaires de Byrl Gailord?

– Oui.

– Où puis-je trouver Byrl Gailord actuellement?

– Dans l'état présent des choses, je ne me crois pas autorisé à vous répondre.

– Toujours aussi complaisant, hein? gronda le sergent.

– Dites-moi ce que vous voulez exactement, repartit Mason, et je verrai ce que je peux faire.

– Je vérifie des motifs possibles, un point c'est tout, dit le sergent. Mrs Tump et Byrl Gailord empoisonnaient Tidings. Elles ont essayé de le voir lundi après-midi, et Tidings a refusé de leur parler. Elles l'attendaient devant son bureau, et Tidings a déclaré qu'il verrait miss Gailord avec plaisir, mais qu'il se pendrait plutôt que de recevoir cette vieille toupie de Mrs Tump.

– D'où vous concluez qu'elle l'a tué? demanda Mason en souriant.

– Zut!... Vous savez ce que je cherche, Mason. Je veux savoir ce qu'elles savaient sur lui, et pourquoi elles l'ont accusé d'avoir détourné des fonds. Quand un homme est tué, on vérifie les emplois du temps de ses ennemis. Et ce rouge à lèvres sur la bouche de Tidings désigne une femme plutôt qu'un homme.

– Je ne pense pas que Mrs Tump se serve de rouge à lèvres, dit Mason en souriant.

La porte du bureau de réception s'ouvrit brusquement.

– Excusez-moi, dit Gertie. Il y a quelqu'un sur la ligne pour le sergent Holcomb.

Le sergent Holcomb regarda autour de lui.

– Vous pouvez me le passer ici? demanda-t-il.

– Oui, dit Gertie.

Le sergent décrocha le récepteur.

– Allô! grogna-t-il.

Puis au bout de quelques secondes :

– Allô! oui?... Qui est à l'appareil?... Ça va, continuez!

– Cette histoire m'a terriblement bouleversé, dit Mattern à Perry Mason. Je suis si nerveux que j'en ai le cerveau embrouillé.

Un juron du sergent Holcomb prévint la réponse de Mason. Le policier raccrocha violemment le récepteur et se dirigea à grands pas vers la porte du bureau privé.

– Je vous interdis d'entrer! cria Mason.

Mais le sergent était lancé. Il ouvrit la porte d'un seul coup et pénétra sans s'arrêter dans la pièce voisine.

Surprises, les deux femmes relevèrent la tête.

Holcomb se retourna vers Perry Mason.

– Ah! c'est comme ça, hein? aboya-t-il. Si on ne m'avait pas averti qu'elle était en route pour votre bureau, j'aurais coupé à vos histoires...

– Je ne suis pas chargé de vous prévenir chaque fois qu'un de mes clients vient me rendre visite, riposta Mason. Nous étions en conférence.

– Sans blague? ricana le sergent. Eh bien! votre conférence attendra... Dites-moi, mesdames, vous aviez des histoires avec Albert Tidings, n'est-ce pas?

– Certainement, s'écria Abigail E. Tump d'un ton belliqueux. Et la Fondation Hastings avait des histoires avec lui. Mr Tidings était un escroc.

– Vous êtes au courant de sa mort? demanda le sergent.

– Oui. Mr Mason nous en a fait part.

– O.K.! dit le policier. Voyons un peu... Vous êtes allées au bureau de Tidings lundi après-midi, pour tenter de le voir. Il a dit à son secrétaire de vous dire qu'il voulait bien recevoir miss Gailord, mais qu'il se pendrait plutôt que de recevoir une... enfin, bref, plutôt que de vous recevoir. Est-ce exact?

– Oui, dit Mrs Tump.

– Mais vous lui avez parlé?

– Oui.

– Où?

– Byrl savait où il parquait sa voiture. Nous nous sommes rangées dans l'emplacement voisin et nous l'avons attendu.

– A quelle heure lui avez-vous parlé?

– A son départ du bureau, lundi après-midi, vers 4 heures et demie.

– L'avez-vous menacé?

Mrs Tump parut s'enfler d'indignation.

– Ça alors! C'est lui qui m'a menacée de me faire coffrer pour diffamation. Il a dit que je montais la tête de Byrl contre lui et que si je continuais à lui empoisonner l'existence, il ne lui donnerait « plus un sou, nom de dieu! » « Plus un sou, nom de dieu! » Ce sont ses mots exacts, jeune homme! Et vous me demandez si je l'ai menacé!

– Que lui avez-vous répondu? questionna patiemment le sergent Holcomb.

– Je lui ai dit que j'allais l'obliger à rendre des comptes et que j'allais consulter un avocat.

– Ensuite?

– Ensuite, je lui ai dit que mon avocat serait Mr Perry Mason et que Mr Perry Mason lui rendrait visite le lendemain matin, à 11 heures, et ç'a paru lui en boucher un coin. Il a grommelé quelque chose que nous n'avons pas compris, a mis son moteur en route et s'est éloigné.

– Vous étiez là? s'informa le sergent Holcomb en posant sur Byrl Gailord un regard interrogateur.

Elle acquiesça.

– C'est bien ainsi que cette rencontre s'est passée?

Byrl Gailord baissa les yeux et murmura d'une voix presque imperceptible :

– Pas... tout à fait... l'oncle Albert n'a pas été aussi bref et irritable que le dit Mrs Tump...

– Pas aussi bref et irritable! s'indigna Mrs Tump. Il a été positivement insultant. Il...

– C'est que vous ne comprenez pas l'oncle Albert aussi bien que moi, coupa hâtivement Byrl Gailord. Il est très nerveux lorsqu'il est pressé, et il était pressé, ce jour-là.

– Oui, admit Mrs Tump. Il a dit quelque chose au sujet d'un rendez-vous.

– Un rendez-vous? souligna le sergent Holcomb. Avec qui?

– Il ne l'a pas dit, répliqua Mrs Tump.

– Avec une dame, rectifia Byrl Gailord.

– Un rendez-vous sentimental? demanda le sergent.

Byrl tira sur ses gants.

– J'incline à croire qu'il s'agissait plutôt d'un rendez-vous qui le tracassait énormément, car il était préoccupé et plus irritable que de coutume.

– Vous vous acharnez à lui trouver des circonstances atténuantes, lui reprocha Mrs Tump. Il s'est montré impertinent, impoli et même injurieux!

– Ce n'est pas vrai, sergent, coupa Byrl Gailord. Mrs Tump ne le connaissait pas, un point c'est tout. Je suis sûre que vous découvrirez, en cherchant un peu, que Mr Tidings avait bel et bien un rendez-vous important, et qu'il était pressé de s'en aller.

– Ceci confirme ce que je vous ai dit, sergent, intervint Carl Mattern.

Le sergent Holcomb fronça les sourcils.

– Vous m'avez dit que Tidings savait que ces deux femmes rôdaient autour du parc de stationnement.

– Je crois qu'il le savait, dit Carl Mattern. Il les avait vues garer leur voiture près de la sienne, mais je vous ai dit également que Mr Tidings devait avoir un rendez-vous important, avec une femme, j'en suis pratiquement certain... Et je crois que c'était un rendez-vous d'affaires.

– Vous ne savez pas de quelles affaires il s'agissait?

Mattern choisit soigneusement ses mots.

— Il avait rendez-vous avec une femme qui lui avait causé des ennuis, ou qui était en mesure de lui en causer.

— Vous ne pouvez pas me donner son nom?

— Non.

— A quelle heure Tidings est-il arrivé à son bureau, mardi matin?

— Vers 9 heures et demie.

— Et il n'a pas parlé de son rendez-vous de la veille?

— Non.

— Aucun changement dans son attitude?

— Il m'a paru... un peu moins nerveux, mais ce n'était peut-être qu'une impression.

Le sergent revint à Mrs Tump.

— Vous êtes retournée mardi matin au bureau de Tidings. Pourquoi?

— Eh bien!... je n'en sais rien, murmura-t-elle. Je voulais lui donner une dernière chance.

— Vous vouliez surtout que Mason lui téléphone et que la perspective de trouver aux côtés de Byrl Gailord un avocat tel que Perry Mason l'effraie et le pousse à faire des concessions. Vous aviez l'intention de vous arranger directement avec lui et de souffler à Mason le montant de ses honoraires, après vous être servi de son nom comme d'un épouvantail!

— Je n'ai jamais eu de telles intentions! protesta Mrs Tump. Je... Mon Dieu, je voulais lui expliquer que... que Mr Mason allait représenter Byrl.

— C'est tout?

— Oui.

— Passons! triompha le sergent. A quelle heure êtes-vous arrivée?

Mrs Tump se tourna vers Mattern.

— Son secrétaire le sait, dit-elle. Il ne devait pas être loin de midi.

– Et Tidings n'était pas à son bureau?

– C'est du moins ce qu'a prétendu son secrétaire.

– Vous êtes retournée au parc de stationnement?
Puis au club de Mr Tidings?

Mrs Tump hésita longuement avant de répondre :

– Oui.

– Et à un stade quelconque de vos recherches,
enchaîna Holcomb, vous avez découvert où était
Tidings. Vous l'avez suivi jusque chez sa femme, et
vous avez eu avec lui votre dernière conversation,
n'est-ce pas, Mrs Tump?

Les yeux de la sexagénaire soutinrent avec indignation le regard du sergent :

– Vous n'avez aucun droit de lancer de pareilles
accusations, cria-t-elle. Savez-vous que je pourrais
vous causer de gros ennuis?

– Où étiez-vous à 1 heure, mardi après-midi?

– Eh bien! je... il faut que je réfléchisse... Attendez
une minute. Ah oui! J'étais chez le coiffeur. J'avais
rendez-vous à midi et demi.

– Et vous, miss Gailord? demanda le sergent.

– Moi? Je ne sais pas... Mardi... Si, je sais. J'ai
déjeuné avec Coleman Reeger, le joueur de polo.

Le sergent Holcomb décrocha le téléphone de
Perry Mason.

– Demandez-moi le Central, dit-il. Je veux parler
au médecin légiste qui fait l'autopsie d'Albert
Tidings. J'attends au bout du fil.

– Je puis vous apprendre certaines choses que je
ne me sentais pas autorisé à vous dire plus tôt,
Mr Mason, commença Mattern. Je suis au courant,
jusqu'à un certain point, des affaires de miss Gailord. La toute dernière chose qu'ait faite Mr Tidings
a été une opération très avantageuse pour le
compte de Miss Gailord.

– De quoi s'agit-il? s'enquit Mason.

– Il a vendu dix mille actions de la Compagnie des Affréteurs maritimes, et a investi le produit dans la Compagnie de Prospection de l'Ouest. Juste avant de quitter le bureau, il m'a recommandé de porter le chèque à Loftus et Cale, et de veiller à ce que l'affaire soit conclue.

– Un chèque de combien? demanda Mason.

– Cinquante mille dollars.

– La Compagnie de Prospection de l'Ouest, répéta Mrs Tump. Est-ce une valeur cotée en bourse?

– Non, Mrs Tump.

– Je n'en ai jamais entendu parler, dit Mason.

– Confidentiellement, expliqua Mattern, leurs sondages ont été couronnés de succès... Je regrette, Mr Mason, je ne puis vous divulguer les détails, mais Mr Tidings a mené une enquête très serrée. Cette opération va rapporter gros à miss Gailord.

– Pourquoi tout ce mystère? demanda Mason.

– Parce que c'est une affaire hautement confidentielle, dit Mattern, et vous savez combien il peut être dangereux de laisser transpirer la moindre information sur une opération de bourse. Je n'avais même pas l'intention d'en parler, mais je l'ai fait pour vous montrer que Mr Tidings avait à cœur les intérêts de miss Gailord.

– Je ne vois pas pourquoi vous refuseriez de transmettre à miss Gailord les renseignements qui sont en votre possession au sujet de ces valeurs, persista Mason.

– Vous êtes avocat, Mr Mason, dit Mattern, et je ne le suis pas. Je n'ai l'intention ni de jouer au plus fin ni de discuter des questions légales avec vous, mais je suppose que les biens de Mr Tidings devront être administrés par quelqu'un. L'administrateur aura un avocat. Je transmettrai mes renseignements à l'administrateur et vous pourrez prendre contact avec son avocat. Vous concevez certainement la nature de ma position.

– A quelle heure avez-vous porté ce chèque au courtier?

– Un peu avant 11 heures.

– Mardi matin?

– Oui, Mr Mason. Je suis parti avec le chèque peu de temps après votre coup de téléphone.

– Et c'était un chèque signé de Mr Tidings?

– Non. C'était un chèque établi par le caissier, ce qu'on appelle un « chèque volant ». Le montant était d'importance et, Mr Tidings était impatient de voir l'affaire se conclure sans attendre le retour d'un chèque personnel et d'avis de virement. Il avait fait établir le chèque volant la veille.

– Quand a-t-il quitté son bureau?

– En même temps que moi.

– Il ne vous a pas dit où vous pourriez le joindre pour lui faire part du succès de votre mission?

– Non. Il m'a téléphoné un peu plus tard.

– A quelle heure? aboya le sergent Holcomb.

– Un peu avant midi, je pense.

– Vous a-t-il dit d'où il vous appelait? demanda Mason.

– Non, monsieur.

– Alors, la dernière chose que nous sachions...

– Un instant, dit Holcomb à Mason. Allô! oui? Ici, le sergent Holcomb, docteur. Je veux savoir ce qu'Albert Tidings avait dans le ventre... sans jeu de mots, oui... A quelle heure exacte est-il mort?... Oui, je me doute que vous n'avez pas terminé votre examen, mais vous pouvez certainement me fournir une indication... Qu'est-ce que la température de la pièce vient faire là-dedans... Je vois... Quoi? Vous dites?... Minute! Ça ne correspond pas du tout à ce que nous savons par ailleurs... Dix heures au plus tard?... Oui, occupez-vous-en... Bien sûr, je veux la vérité, mais je ne veux pas que vous vous couvriez de ridicule et nous avec... Demandez l'assistance du chef médecin légiste.

Le sergent Holcomb raccrocha furieusement.

– Qu'a-t-il dit, sergent? s'informa courtoisement Mason.

– Il ne sait pas. Il n'a pas terminé son examen, répliqua Holcomb. Je leur avais pourtant dit de se mettre au boulot dès l'arrivée du corps.

Mason sourit à Mrs Tump.

– Vous n'aurez pas besoin de prouver que vous n'avez pas attiré Tidings hors de son club, que vous ne l'avez pas tué et transporté chez Mrs Tidings, dit-il paisiblement. Le médecin légiste vient d'informer le sergent Holcomb que Tidings est mort mardi matin vers 10 heures.

Le sergent fronça les sourcils.

– Vous avez de l'imagination, Mason, commenta-t-il.

Mason décrocha le téléphone.

– Allô, Gertie? Vous avez écouté cette communication?

– Bien sûr.

– Merci, dit Mason. C'est tout, Gertie.

Il raccrocha et sourit en voyant le visage déconfit du sergent Holcomb.

– Ces médecins sont des incapables, gémit le policier.

– Il vivait encore à midi moins quelques minutes, affirma Carl Mattern. Je lui ai parlé au téléphone.

– Vous avez parlé à quelqu'un qui s'est présenté à vous sous le nom de Tidings, rectifia Mason.

– J'ai parlé à Mr Tidings.

– Vous avez reconnu sa voix?

– Oui... Enfin, il m'a bien semblé, sur le moment...

– Ça s'imite, une voix, vous savez, dit Mason.

– A quelle heure exacte a-t-il quitté son bureau? reprit le sergent.

– Je vous ai dit la vérité, sergent, répondit Mattern. Je ne connais pas l'heure exacte. C'était juste après sa conversation avec Mr Mason... Quelques minutes après...

– Pouvez-vous me donner l'heure exacte de cette conversation? demanda Holcomb à Mason.

– Je pourrais peut-être la calculer approximativement, en repassant en revue mon emploi du temps de cette matinée, sergent, mais je ne puis vous la donner ainsi, au pied levé.

– Pourquoi faites-vous tant de mystères, Mason, s'impatienta le policier. Si leurs alibis tiennent le choc, vos deux clientes sont hors de cause. Pourquoi ne pas me donner l'heure exacte de cette conversation?

Mason regarda Byrl Gailord d'un air significatif.

– Il y a autre chose que je dois élucider auparavant, dit-il.

– Quoi donc?

– La valeur des actions de la Compagnie de Prospection de l'Ouest.

– Je puis vous épargner cette peine, Mr Mason, dit Mattern. C'est un excellent placement.

– Je préfère m'en assurer par moi-même.

Holcomb fit signe à Carl Mattern.

– Ça suffit. Allons-nous-en, décida-t-il.

Ils sortirent. Mason fit face à ses deux clientes.

– Je vous ai dit tout à l'heure que je ne pouvais plus rien faire pour vous, dit-il. A présent, j'ai changé d'avis.

– Comment cela, monsieur Mason? demanda Mrs Tump.

– Je désire en savoir davantage sur cette affaire de Prospection de l'Ouest. Nous pourrons peut-être faire invalider l'opération... si nous le jugeons utile.

– Je ne vois pas comment, objecta Mrs Tump.

– Moi non plus, pour l'instant, admit Mason. Mais

le sergent Holcomb est dans une impasse. Le médecin légiste va déclarer que Tidings a été tué dix minutes ou un quart d'heure après avoir quitté son bureau, mardi matin.

— Et alors? demanda Mrs Tump.

— Un mort ne fait pas d'opérations de Bourse, répliqua Mason.

Mrs Tump et Byrl Gailord échangèrent un regard effaré.

— Mais supposez que ce soit un bon placement? dit Mrs Tump.

— Dans ce cas, nous nous tiendrons tranquilles, dit Mason. Et maintenant... je ne veux pas vous mettre à la porte, mais j'ai du pain sur la planche.

Les deux femmes se levèrent. Byrl Gailord lui tendit la main.

— J'ai confiance en vous, Mr Mason, dit-elle. Merci beaucoup.

— Je ne voudrais pas que vous croyiez que j'essayais vraiment de vous souffler vos honoraires, monsieur Mason, murmura nerveusement Mrs Tump. Je voulais faire comprendre à Tidings que je ne bluffais pas; j'avais dit que je viendrais vous voir, et j'étais venue vous voir.

— N'y pensez plus, dit Mason. Même si vous aviez conclu un arrangement de dernière minute avec lui, je ne vous en aurais pas voulu pour ça.

— Merci, monsieur Mason. Vous êtes compréhensif... Au revoir, monsieur Mason.

Mason et Della Street regardèrent disparaître les deux femmes.

— Quel est le féminin de filou, patron? s'enquit Della.

Mason hocha la tête.

— C'est ainsi qu'ils procéderaient tous, s'ils étaient assez intelligents, souligna-t-il. Appelez mon courtier, Della. Dites-lui de se rancarder sur la Compagnie de Prospection de l'Ouest, de chercher combien vaut leur papier, et qui s'est délesté mardi matin de cinquante mille dollars d'actions.

– Vous ne voulez pas parler à Loftus et Cale?

– Plus tard, Della. Auparavant, je veux savoir à quoi m'en tenir.

– Pourquoi?

– Je n'en sais rien. Appelez ça une intuition, si vous voulez. Cette opération a quelque chose de louche. Tidings était acculé. Il devait savoir qu'Adelle Hastings s'apprêtait à mettre les pieds dans le plat...

– Est-ce que son rendez-vous de lundi soir n'aurait pas été avec elle? suggéra Della.

– Probablement, approuva Mason. Le sergent Holcomb n'a mentionné aucun nom, j'en ai fait autant... Appelez Paul Drake et dites-lui de mettre la main sur Robert Peltham. Appelez le *Journal des Entrepreneurs*, et dictez-leur une annonce personnelle : « P. Il faut que je vous parle. Dois avoir informations complémentaires. M. »

– Compris, patron, dit Della. Rien d'autre?

– Non, mais occupez-vous de cette opération de Bourse, et dites à Paul de surveiller le développement de l'enquête sur le meurtre de Tidings.

– Pourquoi vous inquiéter de ce meurtre, patron, si vos clientes sont hors de cause?

– Parce que je suis dans la gueule du loup, Della. J'appréhende qu'une femme entre dans ce bureau avec la moitié d'un billet de dix mille dollars, et me dise : « En avant, monsieur Mason, représentez-moi! » Car la main qui tiendra ce demi-billet sera probablement celle qui a pressé la détente lorsque Tidings a été tué.

– Un quart d'heure après avoir quitté son bureau, mardi matin? demanda Della, incrédule.

– Il a bien fallu que quelqu'un le tue, lui rappela Mason.

– Alors, d'après vous, ce n'est pas Tidings qui a appelé le secrétaire vers midi pour lui demander si l'affaire avait bien été conclue?

– Pas d'après moi, Della, rectifia Mason d'un ton significatif. D'après le médecin légiste.

VI

Le jeudi matin, lorsque Mason entra dans son bureau, il trouva Paul Drake bavardant avec la standardiste. Il salua Gertie d'un signe de tête, prit le bras du détective et l'escorta jusqu'à son bureau privé, où Della triait le courrier matinal.

– Rien de neuf? demanda Mason tandis que Drake s'étalait en travers du vaste fauteuil de cuir, dans sa position favorite.

– Un peu de ci, un peu de ça. Peltham a filé. Les flics le cherchent et ne peuvent pas le trouver.

– On l'accuse de quelque chose?

– C'est lui qui a dû signer avec Tidings les chèques qui ont sérieusement écorné les fonds de subvention de l'hôpital.

– Rien à signaler, du côté féminin?

– Rien. Selon toutes les apparences, il ne recevait jamais aucune femme chez lui.

– Tant pis, dit Mason. Voilà un boulot important pour vous, Paul. J'ai mis une annonce dans le *Journal des Entrepreneurs*. Je ne veux même pas que vos hommes soient au courant. Mais il faut que vous postiez l'un d'eux à proximité du guichet de dépôt des annonces, et si quelqu'un vient déposer une réponse à la mienne, convenez d'un signal avec les gens du canard, et suivez la personne en question.

– O.K.! Perry. C'est tout?

— Non. Mrs Tump a mis les pieds dans le plat d'un orphelinat marron : le « Foyer Caché ». Ça a fait du bruit à l'époque... Elle est en rapport avec un ex-comptable de cette société. J'ai une vague idée que ledit comptable se trouve actuellement en ville. Je vais donner à Mrs Tump une bonne raison de désirer se mettre en rapport avec lui à partir de... mettons, 10 heures et demie du matin. Surveillez son hôtel, les gens qui la demandent au bureau, et ses appels téléphoniques... Vous y arriverez?

— Difficile, mais faisable.

— Très bien, dit Mason.

Puis, à Della Street :

— Vous appellerez Mrs Tump à 10 heures et demie tapantes, Della, et vous lui direz, de la part de Mr Mason, que les endossements des chèques acquittés par le « Foyer Caché » seraient douteux. Dites-lui qu'une déclaration aurait été faite selon laquelle ces endossements seraient des faux; dites-lui que le « Foyer Caché » n'aurait jamais rien vu de cet argent, et que la personne ayant endossé les chèques n'aurait eu aucune connexion avec la société. Demandez-lui si elle est au courant... Mettez-lui martel en tête, mais restez dans le vague. Faites un peu l'imbécile, au besoin...

— En un mot, soyez vous-même, compléta Drake.

Della lui tira la langue et nota « 10 heures et demie » sur son bloc.

— Je voudrais enfin que vous vous occupiez de Byrl Gailord, Paul, reprit Mason. L'histoire de Mrs Tump ne tient pas debout.

Della Street lui jeta un regard surpris.

— Pourquoi? Je l'ai trouvée très dramatique.

— Tu parles! gouailla Mason. Trop dramatique, même... Les mains qui glissent sur les flancs d'acier du navire, et les vagues qui les balaient, et le reste!... Mais elle a négligé certains détails. En premier lieu, le haut personnage russe et sa femme n'auraient pas été ensemble dans le premier canot de sauvetage. Les femmes et les enfants d'abord. C'est une règle maritime.

» Mrs Tump a très bien décrit ce naufrage, mais seulement tel qu'elle l'imaginait. Si elle avait été réellement sur ce navire, elle nous aurait dit à quel point il lui était difficile de se tenir sur le pont incliné, au prix de quels efforts elle était parvenue à mettre sa ceinture de sauvetage... Ce naufrage ne me dit rien qui vaille.

— Allons, au boulot, dit Paul Drake en quittant le fauteuil de cuir.

— Une minute, Paul, ajouta vivement Mason. J'ai encore autre chose pour vous. Carl Mattern, le secrétaire d'Albert Tidings. Trouvez tout ce que vous pourrez sur lui. Le nom et l'adresse de sa petite amie, s'il joue aux courses, à quoi il occupe ses loisirs.

— O.K.! C'est tout?

— Pour l'instant, oui.

Le téléphone sonna pendant que Drake se dirigeait vers la sortie.

— C'est votre courtier, annonça Della.

Mason décrocha le récepteur.

— Ici, Mason, dit-il. Je vous écoute.

— Voilà les informations requises, récita la voix sèche d'un homme habitué à énoncer des statistiques. Compagnie de Prospection de l'Ouest, capital : trois millions de dollars. Deux millions cinq cent mille parts émises, d'une valeur nominale de un dollar. La plupart en échange de propriétés minières. Le reste vendu au public à un dollar la part, puis à un dollar vingt-cinq cents, un dollar cinquante, et deux dollars. Il y a eu ensuite une chute verticale. Impossible à trouver actuellement sur le marché. La corporation ne vend pas à moins d'un dollar, mais on rapporte que les actionnaires sont prêts à vendre à n'importe quel prix, si bas soit-il. Personne n'en veut.

» On a enregistré, mardi, quelques minutes avant midi, la vente d'un gros paquet d'actions, qui ont été transférées sur les livres de la corporation au nom d'Albert Tidings. J'ignore quel courtier a fait l'opération, et à quel prix. Mais le tout ne devait pas dépasser trois ou quatre mille dollars. La compagnie a des tas de perspectives dorées, mais une perspective n'est pas une mine. Est-ce tout ce que vous désirez?

– Presque, dit Mason. D'où venaient les actions vendues à Tidings?

– J'incline à croire que c'est le président de la compagnie qui s'est délesté de ses parts personnelles.

– Comment s'appelle le président?

– Bolus. Emery B. Bolus.

– La compagnie a des bureaux en ville?

– Oui. Uniquement destinés, selon moi, à la vente des parts. Si vous faites des dégâts, ne dites pas qui vous a renseigné.

– D'accord, dit Mason. Et merci beaucoup... Demandez-moi Loftus et Cale, Della, ajouta-t-il après avoir raccroché. Loftus ou Cale, je m'en moque.

Elle acquiesça, et demanda la communication.

– Mr Loftus à l'appareil, annonça-t-elle au bout d'un moment.

– Allô, Mr Loftus? dit Mason. Ici, Perry Mason, avocat. Je m'aperçois qu'un de mes clients est impliqué dans une transaction conclue mardi matin par votre intermédiaire.

– Oui? dit Loftus d'un ton réservé.

– Une vente d'actions de la Compagnie de Prospection de l'Ouest, à Tidings, administrateur.

– En effet...

– Que pouvez-vous me dire à ce sujet? demanda Mason.

– Rien.

– Je représente Byrl Gailord, au nom de laquelle, en sa qualité d'administrateur des biens de miss Gailord, Tidings a conclu cette transaction, expliqua Mason. Pouvez-vous venir à mon bureau?

– Je n'en vois pas la nécessité.

– Très bien, dit Mason, élevant la voix, si vous ne voulez pas venir à mon bureau, c'est moi qui vais venir au vôtre. Convoquez votre avocat, si ça vous chante. C'est un conseil que je vous donne. Prévenez également Emery B. Bolus, président de la Compagnie de Prospection de l'Ouest... J'avais l'intention de vous donner une chance. Maintenant, je vais vous faire cracher ces cinquante mille dollars, et pour vous donner un sujet de méditations, je vais vous dire exactement comment j'ai l'intention de m'y prendre... Je serai là dans un quart d'heure, et je n'attendrai pas!

Il raccrocha violemment.

– Vous allez affronter le lion dans son antre? demanda Della.

– Je vais flanquer à ce vieux fossile une trouille qu'il n'oubliera pas de sitôt, dit Mason... Priez pour moi, chérie, je vais en avoir besoin.

Un quart d'heure plus tard, Mason fit son entrée dans les bureaux imposants de Loftus et Cale. « Renseignements », disait une plaque de cuivre posée sur le bureau d'une blonde jeune femme.

– Mr Loftus, dit Mason.

– De la part de qui?

– Mason.

– Oh! oui, Mr Mason. Voulez-vous attendre quelques minutes?

– Non, dit Mason.

– Un instant, je vous prie, murmura-t-elle, visiblement troublée.

Elle pivota sur son siège, enfonça une fiche dans le tableau du standard et dit :

– Mr Mason vous demande, Mr Loftus.

Loftus dut protester, à l'autre bout du fil, car la blonde enfant répondit avec une simplicité charmante :

– Mais il dit qu'il ne veut pas attendre, Mr Loftus.

Il y eut un nouveau temps mort, puis elle sourit à Mason et gazouilla :

– Allez-y, Mr Mason, c'est par là. La seconde porte à gauche.

L'homme assis derrière l'immense bureau d'acajou avait certainement dépassé la soixantaine. Il avait le teint florissant, l'œil terne et froid, le cheveu blanc et rare.

– Asseyez-vous, dit-il. Mon avocat va arriver d'un instant à l'autre.

– Il fallait me le dire plus tôt, rétorqua Mason. J'aurais pris rendez-vous avec lui à une heure précise.

Loftus ferma son poing droit, l'étendit devant son visage, et l'abaissa doucement jusqu'à son bureau. La lenteur écrasante de son geste était plus impressionnante que ne l'eût été un vulgaire coup de poing sur la table.

– Je n'aime pas les avocats criminels, dit-il.

– Moi non plus, déclara Mason en s'installant dans ce qui lui parut être le meilleur fauteuil.

– Mais vous êtes un avocat criminel.

– Tout dépend de ce que vous entendez par là, observa Mason. Je suis avocat. Je ne suis pas criminel.

– Vous défendez des criminels.

– Qu'est-ce qu'un criminel, d'après vous?

– Toute personne qui commet un crime.

– Et qui décide si la personne en question a réellement commis un crime?

– Eh bien! un jury, je suppose.

– Exactement, dit Mason en souriant. Et jusqu'à présent les jurys ont toujours été d'accord avec moi pour déclarer innocentes les personnes que je représentais.

– Ça ne prouve rien, objecta Loftus. Si vous me disiez ce que vous désirez au juste?

– Attendons plutôt votre avocat.

– Je croyais que vous ne vouliez pas attendre.

– Je déteste attendre dans les salles d'attente ou dans les bureaux de réception, rectifia Mason, mais je n'aime pas non plus discuter des questions légales avec des profanes... Si nous parlions sport ou politique?

Le visage de Loftus s'empourpra.

– Je tiens à vous avertir, jeune homme, dit-il. Vous allez affronter aujourd'hui les esprits les plus entraînés – et les mieux payés – de la profession légale...

La porte s'ouvrit, livrant passage à un grand gaillard, aux épaules larges et aux pommettes saillantes, porteur d'une vaste serviette.

– Je vous avais dit de ne pas le recevoir avant mon arrivée, reprocha-t-il à Loftus.

Mason sourit aimablement.

– Je n'ai pas voulu attendre, dit-il. Je suppose que vous êtes le conseil juridique?

– Ganten! se présenta le nouveau venu, le plus vieil associé de Ganten, Kline et Shaw. Et vous, vous êtes Mason. Je vous ai vu à la cour. Que désirez-vous?

– J'ai demandé par téléphone à Mr Loftus de me dire ce qu'il savait sur la vente de cinquante mille dollars d'actions de la Compagnie de Prospection de l'Ouest à Albert Tidings, administrateur. Mr Loftus a refusé de me répondre.

– Il a bien fait, opina froidement Ganten.

– Peut-être ferais-je mieux de vous expliquer ma

80

position dit paisiblement Mason, et d'appeler votre attention sur certains faits. Je représente Byrl Gailord, à qui appartiennent les fonds administrés par Tidings.

— Représentez-la tant que vous voudrez! s'emporta Loftus. Nous n'avons rien à voir avec ce qui se passe entre elle et l'administrateur de ses fonds.

— Pour votre gouverne, dit Mason, Albert Tidings a été tué.

Loftus et Ganten échangèrent un regard.

— Je suis là pour conduire cet entretien, Mr Loftus, dit Ganten.

— Je n'ai pas l'intention de m'en laisser imposer, vociféra Loftus. J'ai lu dans les journaux que Tidings était mort. Je m'en contrefiche, puisque...

— Mr Loftus! coupa Ganten. Je suis là pour ça. Cet avocat est en train d'essayer de vous faire admettre certaines choses...

Mason éclata de rire.

— C'est moi qui ai conseillé à Mr Loftus de convoquer son avocat, rappela-t-il.

— Eh bien! je suis là, dit froidement Ganten. Et je vous écoute!

Mason paraissait s'amuser ferme.

— Malheureusement, dit-il, il y a quelque désaccord sur l'heure du décès de Tidings.

— Ça n'a rien à voir avec la vente! s'écria Loftus. Nous ignorions que...

— Je vous en prie, Mr Loftus! trancha Ganten d'une voix forte.

— Il se peut que cela ait beaucoup à voir avec cette vente, corrigea Mason. La transaction a été conclue par le secrétaire de Mr Tidings. Tidings avait quitté son bureau avant que cette affaire soit conclue, et agissait en qualité d'administrateur de fonds.

— Et alors? s'informa Ganten.

— Alors, dit Mason, le médecin légiste affirme que

Tidings est mort à 10 heures au plus tard, mardi matin.

– Foutaises! s'écria Loftus. Son secrétaire lui a parlé au téléphone après la conclusion de l'affaire.

– Son secrétaire a pu se tromper, dit Mason.

– Il ne vous est pas venu à l'idée, Mr Mason, que le médecin légiste avait pu se tromper lui aussi? demanda Ganten.

– Si fait, admit Mason. Je suis prêt à vous concéder la possibilité d'une erreur du médecin légiste. Vous n'êtes pas prêts à me concéder la possibilité d'une erreur du secrétaire.

Ganten fit face à Mason.

– Avez-vous l'intention de faire apparaître que, si Mr Tidings était mort à l'heure à laquelle son secrétaire a conclu la transaction, celle-ci peut être invalidée?

– Et ça vous coûterait la modique somme de cinquante mille dollars, acquiesça joyeusement Mason.

– J'ai bien peur, Mr Mason, que votre expérience légale ait été trop confinée à des arguties de cours suprêmes, dans le cadre des règles biscornues de la procédure criminelle.

– Si nous laissions mon expérience légale de côté, proposa Mason, et que nous revenions à nos moutons?

– Avec plaisir! s'exclama Ganten.

Puis, s'adressant à Loftus :

– Sa réclamation ne tient pas debout, Mr Loftus, même si l'on admet, pour les besoins de la démonstration, que Tidings était mort à l'heure où fut conclue la transaction... D'après la loi, la mort d'un administrateur de biens crée une vacance qui doit être comblée par la nomination d'un autre administrateur par un tribunal compétent. Jusqu'à cette nomination, le fondé de pouvoirs, ou suppléant

habituel de l'administrateur décédé, assume provi-
soirement ses fonctions... Mr Mattern agissait en
accord avec des instructions spécifiques données
par Mr Tidings. La légalité de la transaction ne peut
donc, en aucun cas, être mise en question.

Loftus ricana.

– Voyez-vous, Mr Mason, dit-il, Mr Ganten est un
expert sur toutes les questions de contrats.

– Et sur toutes les relations contractuelles, compléta Ganten.

– Je vois, dit Mason. Et que sait-il de la loi sur la
fonction d'agent ?

– C'est également ma spécialité, dit Ganten.

– Alors, vous avez probablement songé à appli-
quer cette loi au cas qui nous occupe ?

– Elle ne s'applique pas au cas qui nous occupe,
trancha rondement Ganten. Mes clients sont courtiers. Ils agissent comme simples intermédiaires.

– N'en parlons plus, dit Mason. Je faisais allusion
à Mattern.

– Mattern ! s'écria Ganten, surpris. Que vient faire
Mattern dans cette discussion ?

– C'est avec lui que vous avez conclu l'affaire, lui
rappela Mason en souriant. Vous avez traité Mattern comme l'agent de Tidings. Il était l'agent de
Tidings. Mais, à l'instant même où Tidings a trouvé
la mort, l'autorité de son agent Mattern a automatiquement cessé.

Ganten demeura impassible, mais écarquilla
imperceptiblement les yeux et évita le regard de
son client.

La porte s'ouvrit à nouveau, sous la poussée
joviale d'un petit quinquagénaire trapu au visage
avenant.

– Bonjour, Mr Loftus, claironna-t-il. Bonjour, bonjour !

Il secoua la main de Loftus et se retourna pour

inclure les autres occupants de la pièce dans le rayonnement de sa jovialité.

– Mr Ganten, l'un de mes conseillers juridiques, présenta Loftus, et Mr Perry Mason qui prétend invalider cette vente de cinquante mille dollars d'actions de la Compagnie de Prospection de l'Ouest. Messieurs, je vous présente Mr Emery B. Bolus, président de la C.P.O.

Bolus garda le sourire. Il secoua la main de Ganten, saisit cordialement celle de Perry Mason.

– Enchanté, messieurs, enchanté de faire votre connaissance. Pourquoi diable cette vente serait-elle invalidée? Du moins en ce qui concerne notre compagnie, la transaction est définitivement close.

– Le transfert a été enregistré sur vos livres? demanda Mason.

Bolus hésita un instant et répliqua :

– Oui.

– Ne répondez pas à ses questions, intervint Ganten. Je m'en charge. Vos intérêts et ceux de mon client sont identiques, Mr Bolus.

– Aveu dangereux pour un avocat spécialiste des questions d'agence et de contrats, Mr Ganten, dit Perry Mason. Je ne veux pas vous donner de conseils, mais si votre enquête personnelle confirme ma version des faits, il sera de votre intérêt à m'aider à immobiliser ces cinquante mille dollars jusqu'à ce que la validité de la transaction soit avérée. Le cas échéant, il vaudra mieux pour vous que Bolus rembourse les cinquante mille dollars qu'il détient, plutôt que votre client soit obligé de les puiser dans sa propre poche.

– Me direz-vous ce que tout cela signifie, messieurs? demanda Bolus avec enjouement.

– Mason prétend que Tidings était mort lorsque nous avons conclu cette vente, expliqua Loftus. C'est dans les journaux de ce matin.

Le silence s'appesantit sur l'assemblée. Puis Bolus se tourna vers Ganten.

— Ma foi, Mr Ganten, dit-il, en votre qualité d'avocat de Loftus et Cale, vous pourrez également prendre soin de nos intérêts en la matière. Personnellement, je n'ai pas l'intention de m'empoisonner l'existence avec des questions de forme.

— Une minute, Ganten! jappa Loftus. Vous avez entendu ce qu'a dit Mason.

— Il vaudrait peut-être mieux, en effet, déclara prudemment Ganten, que Mr Bolus consulte son propre avocat.

— Allons, allons, Loftus, dit Bolus avec bonhomie, vous n'allez pas laisser les idées baroques de Mason briser la cordialité de nos relations.

— Où sont ces cinquante mille dollars? demanda Loftus.

Bolus tira sur le lobe de son oreille.

— Y a-t-il la moindre possibilité que vous essayiez de les récupérer? s'informa-t-il.

— Eh bien! il me semble que ce ne serait pas une mauvaise idée de laisser les choses en suspens jusqu'à ce que nous ayons examiné l'affaire dans toutes ses ramifications.

— Que voulez-vous dire par « laisser les choses en suspens »?

— Oh!... simplement prendre les mesures nécessaires pour maintenir le statu quo.

— Afin de protéger les intérêts de tout le monde, expliqua hâtivement Loftus.

— Je vais commencer par me protéger moi-même en remettant ces cinquante mille dollars en circulation, annonça Bolus.

— Je crois que vous feriez mieux de vous en abstenir, dit Loftus.

— Pourquoi? lui jeta Bolus, les yeux étincelants. Qu'avez-vous l'intention de faire?

— D'enquêter, dit Ganten.

– Enquêtez tout votre saoûl, riposta Bolus. Enquêtez jusqu'au jugement dernier si ça vous chante, mais gardez pour vous vos formules légales et votre statu quo. C'est mon pognon, pas vrai?

– C'est l'argent de la corporation, rectifia délicatement Ganten.

– Vous avez les actions, continua Bolus. Et, moi, j'ai le pognon. Je me fous de ce que vous faites avec les actions, et ce n'est pas vous qui allez me dire ce que je dois faire avec le pognon!

– Allons, allons, vous ne désirez pas plus que nous être impliqué dans un litige, dit Ganten. Je suis persuadé que toute cette histoire est absurde, et qu'il suffira de quelques jours pour l'éclaircir.

– En ce qui me concerne, j'ai traité une affaire et je n'en démordrai pas, coupa Bolus. Ces actions constituent un bon placement, un excellent placement, bien que le grand public l'ignore. Je n'ai pas encore le droit de le renseigner, mais nous en reparlerons. D'ici deux mois, ces actions vaudront... eh bien!... beaucoup d'argent.

– Alors, pourquoi vous êtes-vous délesté de toutes les vôtres? demanda Mason d'un ton naturel.

Bolus bondit sur place.

– Je ne me suis pas délesté de toutes les miennes! aboya-t-il.

– Combien en avez-vous actuellement à votre nom? demanda Mason.

– Ce ne sont pas vos oignons! Je n'ai pas à répondre à vos questions.

– C'est exact, approuva Mason en se renversant sur son siège. Du reste – il marqua un temps – telle que je comprends la situation, vous seriez idiot si vous commettiez la sottise d'y répondre.

Ganten et Loftus échangèrent un regard.

– Alors, vous êtes avec moi ou contre moi, dans cette affaire? leur demanda Bolus.

– Il est de votre intérêt commun de prouver que

Tidings était vivant lorsque la transaction a été conclue, déclara Ganten.

— Vous voulez dire par là que, s'il était mort lorsque les valeurs ont été remises et l'argent encaissé, vous serez contre moi?

— Evidemment, dit Ganten, si la transaction s'avère nulle et non avenue, nous veillerons à ce que les valeurs vous soient retournées et l'argent remboursé à qui de droit. Je crois que vous feriez mieux de répondre à la question de Mr Mason.

— Rien ne m'y oblige! dit Bolus. Vous vouliez cinquante mille dollars d'actions. Je vous les ai donnés. Vous m'avez remis l'argent. Un point, c'est tout.

— Vous les leur avez donnés personnellement? Ou comme président de la corporation? réitéra Mason.

— Je n'aime pas vos insinuations! gronda Bolus.

— Vous pouvez les éviter en répondant à ma question, fit remarquer Mason.

Les yeux de Loftus se posèrent successivement sur son avocat, sur le président de la Compagnie de Prospection de l'Ouest, sur Perry Mason, et se détournèrent aussitôt.

— Au revoir, messieurs, dit Mason. Je tenais simplement à vous faire connaître ma position. Que mon départ ne vous empêche pas de continuer cette discussion amicale.

Loftus quitta sa chaise, contourna son bureau, s'arrêta court.

— Qu'essayez-vous de faire exactement, Mr Mason? chevrota-t-il.

— De protéger les intérêts de ma cliente, dit Mason, et de parachever la formation légale de votre conseil juridique.

Il s'inclina à la ronde, s'esquiva prestement et regagna son bureau d'excellente humeur.

– Vous avez fait du bon boulot, patron? demanda Della Street.

– J'en ai l'impression, dit Mason. J'ai rendu fou cette vieille barbe de Loftus et j'ai laissé son conseil juridique en train de se battre furieusement les flancs. D'ici à ce qu'ils se soient retournés, nous connaîtrons l'heure du décès de Tidings. D'après la tournure des événements, je ne pense pas que le sergent Holcomb puisse me tenir à l'écart du développement de l'affaire.

– Vous voulez dire qu'ils vont travailler pour vous?

– Bien sûr. Ils peuvent faire parler Holcomb. Moi pas.

– Paul Drake a demandé que vous le rappeliez, dit Della. Je le rappelle?

– Oui.

– Ecoutez, Perry, dit rapidement Paul Drake, une jeune fille a déposé au guichet du *Journal des Entrepreneurs* une réponse à votre annonce. Ensuite, elle est entrée dans un institut de beauté, où elle est en train de se faire faire un ravalement complet... Un de mes hommes monte la garde devant l'institut de beauté. Si vous voulez zyeuter cette poupée, nous avons le temps de cavaler jusque-là avant qu'ils aient fini de la pomponner.

– Vous avez votre bagnole, Paul?

– Oui.

– O.K.! Je vous rejoins au parc de stationnement.

Il raccrocha et dit à Della :

– Nous avons une cliente, au *Journal des Entrepreneurs*... Sans doute la même qui a déposé la première annonce. Je vais de ce pas me rincer l'œil.

– Vous pensez qu'elle a l'autre moitié de votre billet? demanda Della.

– Je soupçonne tout le monde d'avoir cette moitié de billet, ricana Mason. Si cette fille n'est autre que Byrl Gailord, nous en saurons davantage dans une heure.

Paul Drake attendait devant la porte de l'immeuble. Mason s'installa près de lui.

– Vous croyez que vous allez la reconnaître, Perry? questionna le détective.

– Je l'espère, et j'en ai bien peur, dit Mason.

– Qui est-ce, Perry?

– Ma cliente.

– Vous n'êtes pas sûr de reconnaître votre propre cliente? s'étonna Drake.

– Ma clientèle est si développée! ricana Mason. Avez-vous une paire de lunettes teintées? Je veux la voir, mais je ne veux pas qu'elle me voie.

– Il y en a dans la poche de la portière.

– Vous avez son signalement, Paul? demanda Mason.

– Juste ce que m'en a dit mon loustic au téléphone. Mais il est jeune et impressionnable. A l'entendre, elle pourrait servir de modèle à n'importe quel sculpteur.

Il prit un dernier virage et dit :

– Nous y voilà...

Drake donna un léger coup de klaxon. Son subordonné tourna la tête, l'aperçut, et avança jusqu'à ce que son pare-chocs avant touchât le pare-chocs arrière de la voiture précédente. Drake parvint à se caser dans l'espace vacant.

Ils sortirent et gagnèrent la voiture de l'agence.

– Elle ne devrait pas tarder, à présent, dit le jeune détective.

– Vous l'avez suivie depuis le *Journal des Entrepreneurs*? dit Mason.

– Oui. Elle avait sûrement rendez-vous à l'institut de beauté. C'est sans doute une habituée, mais je n'ai pas encore essayé de leur tirer les vers du nez à son sujet.

– Vous pourrez le faire après son départ, dit Mason. Comment est-elle habillée?

– Une robe noire, avec une veste de renard et un amour de petit bibi.

– Agréable à regarder?

– Un vrai bijou. Et faite au moule. Je ferais des folies pour une fille comme ça, moi.

– Ne vous excitez pas, dit Mason. Suivez la foule et voyez ce que vous pouvez faire. On retourne l'attendre dans la voiture de Paul.

Ils se réinstallèrent sur le siège avant.

– Vous avez des idées sur l'heure du décès de Tidings, Perry?

– Oui, dit Mason. Et elles ne collent pas avec la version de la Brigade.

– C'est-à-dire?

– Holcomb a envisagé deux hypothèses : Tidings assassiné dans le bungalow, et Tidings assassiné dans l'auto et traîné dans le bungalow.

– Quelle est votre idée, Perry?

– Mon idée est qu'il a dû être assassiné dans l'auto et entrer dans le bungalow par ses propres moyens... avec l'aide de quelqu'un d'autre. Il est mort presque aussitôt qu'il a été allongé sur le lit. Bizarre qu'il n'ait pas eu ses souliers, Paul.

– Pourquoi diable lui aurait-on ôté ses souliers?

– Je n'en sais rien, mais j'ai une idée.

– On peut savoir?

– Le médecin légiste fixe l'heure du décès à 10 heures au plus tard, mardi matin. J'ai l'impression qu'il aurait aimé la fixer beaucoup plus tôt, mais qu'étant donné les autres facteurs de l'affaire il l'a repoussée au maximum.

– Comment cela?

– Tidings a pu entrer dans cette maison par ses propres moyens, Paul, exposa Mason. Il a pu y entrer en plein jour. Mais plusieurs choses me poussent à croire le contraire. Entre autres, le gaz...

Je ne pense pas qu'il ait été allumé pour créer des conditions favorables à une décomposition plus rapide du cadavre, destinée à empêcher le médecin légiste de fixer avec exactitude l'heure de la mort.

— Alors, pour quelle raison? demanda Drake.

— Parce qu'il faisait froid dans la pièce. Quiconque l'a allumé voulait réchauffer l'atmosphère. Et cela signifie qu'il a été allumé pendant la nuit.

— Mardi soir? suggéra Paul Drake, incrédule.

— Non, Paul, dit Mason. Lundi soir.

— Lundi soir! Mais c'est impossible!

— Envisageons la situation, Paul. C'était lundi soir ou mardi soir. Tidings n'était pas mort lorsqu'il est entré dans la maison, ainsi que nous le prouvent les taches de sang sur le plancher. En outre, il a eu une forte hémorragie après avoir été mis au lit.

— D'accord, acquiesça Paul Drake.

— D'après le témoignage du médecin légiste, il faut que ce soit lundi soir et non mardi soir. N'oubliez pas que l'heure fixée par lui est une heure-limite. Il a dit : 10 heures du matin au plus tard!

— Bon Dieu! Perry, mais vous avez causé avec Tidings au téléphone, mardi matin!

— J'ai causé avec quelqu'un qui a prétendu être Tidings, rectifia Mason. Je n'avais jamais entendu sa voix, et j'ai causé d'abord avec le secrétaire.

— Mais le secrétaire dit qu'il était avec lui dans le bureau et que... Nom d'un chien, Perry, voulez-vous dire que le secrétaire raconte des histoires?

— Exactement, approuva Mason. Je ne vois aucune autre explication.

— Mais pourquoi?

— Vous en savez aussi long que moi, Paul. Tidings était mortellement blessé lorsqu'il a été conduit à l'intérieur de la maison. Il est mort, selon toutes les apparences, peu de temps après avoir été déposé sur le lit. Quiconque l'a aidé a allumé le gaz pour réchauffer la pièce, est allé dans la salle de bains chercher des serviettes pour arrêter l'hémorragie, ou bien a couru au téléphone pour appeler un médecin, et pendant ce temps-là Tidings est mort.

» La panique s'est emparée de la ou des personnes en question. Ils ont décidé de décamper en s'imaginant que le corps ne serait pas découvert de sitôt et qu'il serait difficile, sinon impossible, de déterminer avec exactitude l'heure de la mort. Et voilà pourquoi les souliers de Tidings ont disparu, car ils risquaient de fournir un indice permettant de fixer l'heure de la mort.

– Je ne vois pas comment, avoua Drake.

– Il devait y avoir de la boue sur ces souliers, expliqua Mason. Assez pour montrer qu'il pleuvait alors, une pluie violente qui n'avait pas fait une boue épaisse et collante, mais un mince revêtement qui devait adhérer aux semelles des chaussures.

» Il n'y avait pas de couvre-pieds sur le lit. Cela signifie qu'il a été enlevé de sous le cadavre après la mort, sans doute parce que lui aussi contenait un indice : marques de souliers boueux, et traces humides laissées par un imperméable ruisselant.

– Vous croyez que Tidings portait alors un imperméable ?

– Oui. Je pense que Tidings est venu de lui-même, ou a été conduit en auto jusqu'au bungalow. Quelqu'un l'a aidé à gagner le lit, où il est mort peu de temps après s'y être allongé. Il y avait des taches de sang sur le couvre-pieds, de la boue sur ses chaussures, et des marques laissées par l'imperméable.

» Quelqu'un lui a ôté ses chaussures, son imperméable, et a tiré le couvre-pieds de sous son corps... Ils ont disposé de l'imperméable en le remettant dans la voiture de Tidings, et en abandonnant la voiture elle-même à un endroit où elle ne serait pas découverte par la police avant le lendemain.

» Et ceci nous amène à l'indice le plus important

de tous, Paul, le fait que les taches de sang cessent presque aussitôt, lorsqu'on sort du bungalow, alors que l'intérieur en est généreusement arrosé. Il a plu à seaux dans la nuit de lundi à mardi, l'allée et le porche sont cimentés, et la pluie battante a lavé toutes les taches, excepté celles qui se trouvaient protégées par le petit toit qui coiffe la porte d'entrée. Et ceci, une fois de plus, fixe le moment du meurtre à lundi soir ou à la nuit de lundi à mardi.

— Il fallait le dire tout de suite, Perry! s'exclama Drake. Ce dernier indice suffirait presque à lui tout seul... Tidings a donc été tué lundi soir. Et qu'est-ce que ça nous donne?

— Je n'en sais rien.

— Si nous essayions de faire cracher la vérité au secrétaire de Tidings?

— C'est ce que j'aimerais pouvoir faire... si seulement je savais où j'en suis.

— Que voulez-vous dire, Perry?

— En toute franchise, Paul, j'ignore l'identité de ma cliente.

— Hein?

— J'ai été engagé par quelqu'un pour protéger une femme. Je crois que j'ai été engagé pour la protéger des conséquences possibles du meurtre de Tidings.

— Ça n'a pas été spécifiquement indiqué?

— Non, Paul. Un homme est venu à mon bureau dans la nuit de lundi à mardi, un peu après minuit. Il pleuvait à verse. Il y avait une femme avec lui. Une femme qui ne m'a pas fait entendre sa voix, ni voir son visage. L'homme avait pris toutes dispositions pour que je puisse l'identifier plus tard, lorsqu'elle le désirerait. Je recevrais, alors, de très substantiels honoraires.

» Il fallait quelque chose d'urgent et de grave

pour justifier toute cette mélodramatique mise en scène. J'ai tout de suite pensé à un meurtre.

» Lorsque j'ai appris la mort de Tidings, j'ai cru avoir trouvé. Mais le meurtre n'avait été apparemment commis que le mardi matin, et j'avais été engagé dans la nuit du lundi. C'est pourquoi je me suis mis à chercher la petite bête, et tout ce que j'ai découvert m'a confirmé que Tidings avait dû mourir lundi avant minuit.

– Je ne vois toujours pas pourquoi nous ne cuisinerions pas le secrétaire, objecta Drake, si vous êtes certain que la personne que vous devez protéger est une femme.

– Parce que je ne suis pas certain que son secrétaire l'ait assassiné, dit Mason.

– Bon Dieu, Perry! S'il a prétendu que Tidings était au bureau, et qu'il ait joué son rôle quand vous avez téléphoné...

– Ça ne prouve absolument rien, coupa Mason, sauf que le secrétaire avait une bonne raison de faire croire que Tidings était avec lui au bureau. Et lorsque le corps de Tidings a été retrouvé, que certains détails ont paru fixer le moment de la mort à lundi soir, Mattern a compris dans quel pétrin il s'était fourré. Il ne pouvait se rétracter, sous peine de se jeter dans les bras de la police.

» Supposez que le secrétaire ne soit pas coupable du meurtre, mais ait simplement usé d'un subterfuge pour faire croire en la présence de Tidings à son bureau mardi matin. Si nous le chambrons, si nous l'accablons de faits précis et qu'il avoue avoir menti, mais parvient à justifier son mensonge, la police tombe sur ma cliente, l'accuse de meurtre, et j'aurai rendu inutile, par mon intervention officieuse, la seule défense qu'elle aurait pu invoquer devant un jury.

– C'est-à-dire?

– Son alibi pour mardi matin, après-midi et soir.

– Comment savez-vous qu'elle possède un tel alibi?

– A cause des souliers et du couvre-pieds, Paul.

– Pardon?

– Mais oui. La seule raison de faire disparaître le couvre-pieds et les chaussures de Tidings était de dissimuler le fait qu'il pleuvait lorsqu'il est entré dans cette maison. La personne qui l'a fait devait donc savoir que cette maison serait le dernier endroit où l'on chercherait Mr Tidings. Elle savait également que Mrs Tidings n'était pas en ville et ne rentrerait sans doute pas immédiatement. La seule solution logique est que cette personne a dû quitter mon bureau lundi soir et commencer à se bâtir un alibi...

» Voilà celle que nous attendons, Paul.

Une jeune femme venait d'apparaître à la porte de l'institut de beauté.

– On le dirait, approuva Paul Drake. Si elle a besoin de quelqu'un pour l'aider à se déshabiller le soir, donnez-lui mon adresse, Perry.

– J'aurais parié à dix contre un que je verrais apparaître un visage connu, grogna Mason. Je ne m'attendais pas à me trouver en présence d'une nouvelle tête.

– Mais quelle tête! fit le détective. Et quels... Enfin, passons. C'est bien elle. L'excité vient de me faire signe.

Mason baissa la tête.

– Ne la quittez pas de l'œil, Paul, dit Mason. Il se peut qu'elle me connaisse. Que fait-elle à présent?

– Elle enfile ses gants, annonça Drake. Elle ne semble pas nous avoir remarqués... O.K.! Perry, elle s'en va. Vous la suivez?

– Oui, dit Mason. Et travaillez sur le secrétaire, Paul. Tâchez de savoir en particulier quels rapports existent entre lui et un certain Bolus, président de la Compagnie de Prospection de l'Ouest. A bientôt.

Mason quitta la voiture, traversa la chaussée, et se mit à suivre la jeune femme.

Elle marchait d'un pas vif, avec la souple aisance d'une sportive accomplie. Ses hanches oscillaient au rythme d'une démarche altière qui mettait en valeur la fine musculature de ses jambes parfaites.

Elle pénétra dans un drugstore, composa un numéro, échangea quelques paroles avec un interlocuteur anonyme, raccrocha, et passa sans se retourner devant le comptoir où Perry Mason achetait une brosse à dents.

Sur le trottoir, son pas se fit plus lent. Elle s'arrêta deux fois pour regarder les vitrines des magasins, et ne sembla s'arracher qu'à regret à la contemplation d'une robe du soir. Elle s'éloigna, puis revint brusquement sur ses pas et se planta de nouveau devant la robe. Puis elle pénétra tout droit dans le magasin et se mêla à la foule. Elle se dirigea vers les ascenseurs, changea d'avis, traversa le rayon de confection, et sortit par une autre porte.

Sa manœuvre suivante prit Mason entièrement à l'improviste. Lorsqu'il la vit immobile de l'autre côté du battant vitré, il dut choisir entre la nécessité de se faire remarquer en s'arrêtant aussi, et la solution désespérée de passer tout près d'elle pour sortir à son tour. Il décida de continuer.

— Bonjour, Mr Mason, lança une voix harmonieuse. Vous aviez quelque chose à me dire?

Mason souleva son chapeau et soutint le regard des grands yeux sombres et moqueurs.

— Je ne pense pas avoir le plaisir de vous connaître, dit-il.

Elle éclata de rire.

— C'est à peu près ce que répond une femme

lorsqu'elle se demande si elle doit accueillir ou repousser les assiduités d'un beau garçon. J'attendais mieux du grand Perry Mason. Pourquoi me suivez-vous?

– C'est ma façon de rendre hommage à la beauté.

– Ne faites pas l'idiot... Si vous tenez absolument à m'accompagner, il est inutile que vous restiez en arrière.

Elle glissa son bras sous celui de l'avocat, sourit et dit :

– Là! C'est tellement plus commode. J'avais l'intention de tourner à gauche. Je suppose que vous alliez en faire autant?

Il acquiesça.

– Avez-vous remarqué les deux voitures qui me suivent également?

– Deux voitures?

– Une au moins. Je ne suis pas sûre de l'autre.

– Vous paraissez extrêmement populaire, plaisanta Mason. Pourtant, je ne me souviens pas de vous avoir déjà rencontrée.

Elle rit.

– Moi, je vous ai vu souvent en photo, et même une ou deux fois en chair et en os, dans des réceptions. Vous ne le savez peut-être pas, Mr Mason, mais vous êtes une sorte d'idole dans cette ville... beaucoup plus qu'une célébrité.

– Très flatté, murmura Mason.

Elle examina son profil, soupira :

– Seigneur! je n'aimerais pas que vous me soumettiez à un contre-interrogatoire.

– Et moi, je n'aimerais pas devoir vous soumettre à un contre-interrogatoire, repartit Mason. Vous éludez les questions avec une souplesse qui vous rendrait dangereuse à la barre des témoins.

– Quelle question ai-je donc éludée?

– Vous ne m'avez pas encore donné votre nom.

– C'est exact, admit-elle, souriante. Et je ne sais pas encore si je vais vous le donner, Mr Mason... Ces détectives connaissent leur métier, n'est-ce pas?

– Que voulez-vous dire?

– L'un d'eux est évidemment resté devant la porte par laquelle je suis entrée. Et l'autre a contourné le pâté de maisons. Le voici. Nous le semons, ou nous continuons à le promener en laisse?

– Continuons à le promener, dit Mason. J'espère que mon intervention ne compliquera pas les choses.

– Comment cela?

– Eh bien! nous ne savons pas qui les paie, et ils ne savent pas pourquoi je vous suis. Et leur rapport aura à peu près cette allure : « Peu après son départ de l'institut de beauté, la personne en question a été prise en filature par Perry Mason. Après avoir constaté que la voie était apparemment libre, Perry Mason a établi le contact avec la personne, et ils ont continué ensemble en bavardant paisiblement. »

Elle fronça les sourcils et dit :

– Vous me suivez depuis l'institut de beauté?

– Oui.

– Je ne vous ai repéré que beaucoup plus tard. Que me voulez-vous?

– Je veux savoir qui vous êtes.

– Je ne suis pas prête à vous le dire.

– Quand le serez-vous?

– Quand je saurai pourquoi vous me suiviez et ce qui vous a conduit à moi. Je veux savoir également si vous savez quelque chose au sujet de ces détectives qui me suivent en automobile. Etre suivie par un détective, c'est inquiétant. Etre suivie par deux détectives, c'est surprenant. Mais être suivie par le plus fameux avocat de la ville, c'est troublant... et flatteur.

– Allez-vous me dire comment vous vous appelez? demanda Mason.

Elle lui fit face.

– Non, dit-elle, et je ne vais pas vous laisser me suivre ainsi. Je vous préviens, Mr Mason, que je veux rester seule...

Mason secoua la tête.

– Après tout le mal que je me suis donné pour vous trouver, dit-il, je ne vous laisserai pas vous envoler aussi facilement.

Elle rejeta la tête en arrière.

– Très bien, dit-elle. C'est vous qui l'aurez voulu.

Ils avaient l'air, depuis qu'ils s'étaient rejoints, d'un couple semblable aux autres couples qui arpentaient le trottoir en devisant paisiblement. Mais un observateur attentif eût remarqué la dure résolution du visage de l'avocat, la nervosité croissante des manières de la jeune fille.

Ils parvinrent à un carrefour, où l'agent de la circulation surveillait les manœuvres des automobilistes, prêt à agir ou à verbaliser. Brusquement, la jeune femme repoussa Mason, en criant :

– Monsieur l'agent! Cet homme m'importune!...

Avant que le policier ait eu le temps de se retourner vers eux, Mason, prompt comme l'éclair, arracha le sac à main de sa compagne. Stupéfaite, elle pivota sur elle-même pour lui jeter un regard indigné.

– Je voulais simplement vous rendre votre sac, mademoiselle, dit Mason d'une voix forte, en soulevant poliment son chapeau.

L'agent se fraya un chemin jusqu'à eux.

– Qu'est-ce qui se passe? demanda-t-il.

– Cet homme m'importune, répéta-t-elle...

– Quelqu'un a oublié ce sac à main sur le comptoir du drugstore, expliqua Mason en souriant. Je crois qu'il appartient à cette jeune femme, mais je ne le lui donnerai que si elle me le prouve. C'est normal, n'est-ce pas?...

Il ouvrit le sac à main, en tira un porte-carte, et jeta un coup d'œil au permis de conduire qu'il contenait.

– Tenez, monsieur l'agent, dit-il. Le nom et l'adresse sont sur ce permis de conduire. Qu'elle me donne son nom et je lui rends le sac à main.

Des larmes d'humiliation emplissaient les yeux de la jeune fille.

– Dites-moi, mon pote, intervint l'agent, y me semble qu'y a quelque chose de pas clair dans cette histoire.

– Je ne vois vraiment pas quoi, répliqua Mason avec dignité. Permettez-moi de me présenter, monsieur l'agent. Je suis Perry Mason, avocat, et...

– Eh! c'est vrai, Mr Mason! s'exclama le policier. Je ne vous avais pas reconnu au premier abord. Excusez-moi.

Mason s'inclina en souriant. Puis, se tournant vers la jeune fille, il déclara d'un ton conciliant :

– Je suis persuadé que ce sac est le vôtre, mademoiselle, mais je ne puis vous le rendre si vous refusez de l'identifier.

– Oh! très bien, capitula-t-elle. Je m'appelle Adelle Hastings, 906, Cleveland Square. Il y a même l'empreinte de mon pouce sur le permis de conduire, au cas où ça ne vous suffirait pas.

– Vous plaisantez, miss Hastings, dit Mason. Je suis certain que ce sac vous appartient. Ce sont bien les nom et adresse indiqués sur le permis de conduire.

– Circulez! rugit l'agent à l'adresse des curieux qui s'étaient attroupés. Où est-ce que vous vous croyez? Dans une salle de réunions?

Mason lui adressa un salut amical, souleva son chapeau, et demanda à Adelle Hastings :

100

– Prenez-vous la même direction que moi, miss Hastings?

Elle refoula ses larmes.

– Maintenant... oui, dit-elle.

– Je regrette de n'avoir pu examiner en détail le contenu de votre sac à main, murmura Mason.

– Pourquoi?

– Sans doute y aurais-je trouvé un billet déchiré. Un billet découpé, pour être plus exact.

– Je n'ai pas la moindre idée de ce que vous voulez dire, Mr Mason, affirma-t-elle avec véhémence.

– Nous en reparlerons plus tard... Pourquoi ne vouliez-vous pas que j'apprenne votre identité? Ne croyez-vous pas que vous feriez mieux d'être franche avec moi?

– Non.

– Vous êtes à l'origine de l'enquête qui a révélé un manque à l'appel de deux cent mille dollars dans le fonds de subvention de l'hôpital, n'est-ce pas? dit Mason.

– Oui.

– Comment saviez-vous que Tidings avait détourné ces fonds?

– Je n'ai fait que demander une enquête, riposta-t-elle. Je n'ai accusé personne.

– Nous allons essayer autre chose, dit Mason. Remarquez que je pourrais attendre jusqu'à demain et lire le *Journal des Entrepreneurs*, mais je gagnerais du temps si vous me disiez ce que contenait la réponse de Mr Peltham à mon annonce d'aujourd'hui.

Elle s'arrêta court et pâlit affreusement. Une panique sans nom envahit son regard. Sa jolie poitrine se soulevait convulsivement au rythme de sa respiration accélérée.

– Inutile d'être aussi bouleversée, miss Hastings,

dit Mason. Répétez-moi simplement le contenu de l'annonce.

Elle se cramponna à son bras, et il sentit la sauvage pression des doigts de la jeune femme.

– Non, non! cria-t-elle. Il ne faut pas que vous répétiez ce que vous savez à qui que ce soit... J'aurais dû me douter que vous me prendriez au piège.

Mason lui prit la main et la pilota vers une porte.

– Doucement, dit-il. Entrons ici... Et nous bavarderons en buvant quelque chose.

Elle se laissa docilement escorter jusqu'à l'intérieur de l'établissement et s'effondra sur une chaise.

– Comment le saviez-vous? demanda-t-elle, tandis que Mason s'asseyait en face d'elle.

Un garçon en veste blanche surgit à leurs côtés. Mason regarda la jeune femme d'un air interrogateur.

– Un double brandy, commanda-t-elle.

– La même chose, dit Mason.

Il laissa s'éloigner le garçon, et reprit d'une voix plus douce :

– Vous auriez dû savoir qu'il vous serait impossible de vous en tirer ainsi.

– Mais j'aurais pu, protesta-t-elle. Si j'avais été plus prudente. Je vois le piège que vous m'avez tendu.

– Trêve de préambules, coupa Mason. N'avez-vous rien à me dire?

– A quel sujet?

– Au sujet de votre première visite à mon bureau.

– Comment? s'exclama-t-elle, les yeux écarquillés. Je ne comprends pas ce que vous dites.

– Voilà que ça recommence, soupira Mason.

– Sincèrement, je ne comprends pas.

– Très bien, dit Mason. Je vous ai donné votre chance... Revenons à Robert Peltham. Que répond-il à mon annonce?

Elle hésita.

– Je l'apprendrais tout aussi bien en téléphonant au journal, lui rappela-t-il.

Elle se mordit les lèvres, ferma les yeux plus qu'à demi, et soudain le regarda bien en face, souriante.

– Mr Peltham regrette de ne pouvoir vous rencontrer, dit-elle. Il vous demande de continuer.

– De continuer à travailler dans le brouillard? commenta Mason, sarcastique.

– Vous paraissez vous en tirer à merveille, Mr Mason, dit-elle – et l'avocat réalisa tout à coup que, pour une raison inexplicable, elle avait partiellement retrouvé son courage et sa belle confiance en elle-même.

– J'en ai assez du brouillard, annonça-t-il. J'ai l'intention d'aller de l'avant.

– Faites donc, dit-elle. Mr Peltham paraît convaincu d'avance du bien-fondé de vos initiatives.

– Vous lui avez parlé?

– J'ai communiqué avec lui.

– Par téléphone?

– J'ai bien peur de devoir à nouveau éluder vos questions, Mr Mason.

– Cessons de jouer aux devinettes! trancha-t-il brutalement. Quel est votre alibi pour lundi soir?

Elle lui adressa un sourire angélique.

– Pour mardi, à partir de 12 heures précises, Mr Mason, rectifia-t-elle.

– Vous avez entendu ma question. J'ai dit : pour lundi soir.

– Vous avez entendu ma réponse. J'ai dit : pour mardi midi, riposta-t-elle.

– J'espère qu'il est bon.

– Il l'est.

– A titre de simple curiosité, reprit Mason, qu'avez-vous fait lundi soir?

– Ce que j'ai fait lundi soir n'a rien à voir avec cette affaire, et vous le savez aussi bien que moi. Les journaux disent que vous avez causé mardi matin avec Tidings... Et j'ai vu que vous représentiez Byrl Gailord. Je vous souhaite bien du plaisir avec elle.

– Que savez-vous de miss Gailord?

– Rien.

– Vous la connaissez?

– Je l'ai déjà rencontrée.

– Où?

– A certaines réceptions.

– Elle évolue dans votre milieu?

– Pas exactement. Elle essaie... Non, ce n'est pas ce que je voulais dire.

– C'est exactement ce que vous vouliez dire, rectifia Mason. Vous pensiez ce que vous disiez.

– Très bien, Mr Mason. Et je le pense toujours.

– C'est une arriviste?

– Si vous voulez... Mon Dieu, qui cela intéresse-t-il que son père ait été grand-duc à la cour de Russie?

Mason ne la quittait pas des yeux.

– Je suppose qu'elle espère faire un beau mariage? dit-il.

– Toutes les femmes espèrent trouver le prince charmant, non?

– Sur quel parti a-t-elle jeté son dévolu?

– Je regrette, Mr Mason. Je ne fais pas de cancans.

– Parce que miss Gailord est votre rivale?

– Qu'osez-vous insinuer?

– Je n'insinue rien. J'en sais probablement plus long que vous ne le pensez, miss Hastings.

– Ecoutez, Mr Mason, dit-elle avec indignation,

104

Coleman Reeger et moi sommes de bons amis, un point, c'est tout. Il peut épouser qui il veut, je m'en moque. Mais je n'aimerais pas le voir tomber dans un piège.

– Vous croyez que c'est ce qu'il est en train de faire?

– Parlons d'autre chose, voulez-vous?

– De ce que vous faisiez lundi soir?

Elle éclata de rire.

– J'admire avec quel naturel vous revenez toujours à votre premier objectif, Mr Mason, déclara-t-elle.

Le garçon déposa leurs consommations sur la table.

– Ecoutez, insista Mason, vous ne vous êtes pas lancée à la légère dans cette histoire d'enquête! Vous soutenez Peltham. Vous communiquez avec lui. Vous avez en lui une confiance apparemment indestructible. Cela signifie que...

– Quoi donc? demanda-t-elle.

– Vous pouvez masquer votre visage, miss Hastings, dit Mason, mais vous ne pouvez masquer vos sentiments.

Elle fit distraitement tournoyer le pied de son verre entre son pouce et son index.

– Je ne pense pas pouvoir vous répondre, Mr Mason, murmura-t-elle.

Mason avala d'un trait le contenu de son verre, posa un billet sur la table et continua :

– Miss Hastings, je suis fatigué de jouer aux charades et à il-court-il-court-le-furet! Ou vous parlez franchement, ou je fiche le camp, et c'est vous qui viendrez me rechercher.

– Mais vous renversez les rôles, Mr Mason, protesta-t-elle. C'est vous qui me suiviez. Pas moi!

– N'en parlons plus, dit Mason. Vous voulez que je m'en aille?

Une expression fugitive courut dans ses yeux et sur son visage.

— Mr Mason, assura-t-elle avec une profonde conviction, si vous consentiez à quitter cette table, à vous en aller, et à ne plus me poser de questions, je vous en vouerais une reconnaissance éternelle.

Sans un mot, Mason repoussa sa chaise, prit son chapeau, et se dirigea vers la porte. A mi-chemin, il se retourna, regarda un instant le visage surpris de la jeune femme, lui jeta :

— Vous savez où se trouve mon bureau!

Puis il sortit sans plus de commentaires.

VII

Della Street regarda Mason ôter rageusement son chapeau et l'envoyer à la volée sur le fauteuil.

— Oh, oh! dit-elle. Il y a de l'orage dans l'air.

— Pis qu'un orage, répliqua Mason. Une tornade! Cette histoire commence à me porter sur les nerfs.

— Mais Paul a téléphoné que tout était pour le mieux dans le meilleur des mondes.

— Quand a-t-il téléphoné?

— Il y a quelques minutes. Par acquit de conscience, il a filé la jeune femme après que vous l'ayez quittée, et elle est rentrée chez elle où Paul a pu vérifier son identité. Donnez-moi l'autre moitié du billet, patron, que je puisse le porter à la banque.

Mason éclata d'un rire sans gaieté.

— Qu'est-ce qui se passe? Elle ne vous l'a pas donné?

— Non.

— Pourquoi? Elle ne l'avait pas?

— Elle devait l'avoir, mais je n'en ai pas vu la

couleur. Je suis bel et bien le dindon de la farce. Ils m'ont alléché avec leurs dix mille dollars, j'ai mis la main à la pâte et je suis tombé dans le pétrin.

— Vous croyez qu'ils ne vous donneront pas l'autre moitié de ce billet?

— Pourquoi le feraient-ils? Peltham est satisfait. Elle est satisfaite. Elle a pour mardi un alibi garanti sur facture. Elle le prétend, du moins, et je la juge assez intelligente pour avoir dit la vérité sur ce point. J'ai poussé Holcomb à fixer l'heure du meurtre mardi vers midi. Pourquoi diable me paierait-on puisque je suis assez idiot pour travailler à l'œil?

— C'est l'impression que ça donne, n'est-ce pas?

Il acquiesça, l'air morose.

— Rien d'autre? questionna-t-il.

— Drake dit que ses hommes ont filé Abigail Tump et qu'elle les a conduits à l'homme qui — d'après lui — serait l'ex-secrétaire de l'orphelinat en question. Il a également demandé copie de l'annonce déposée au journal par miss Hastings.

— Que disait cette annonce?

Della Street consulta son bloc-notes.

— « Rien à ajouter à la situation, lut-elle. Entrevue actuellement inutile. Vous vous débrouillez très bien tout seul. »

— Il me retourne le couteau dans la plaie, grogna Mason... Ah! je me débrouille très bien tout seul. Faites passer une nouvelle annonce dans le *Journal des Entrepreneurs*, Della. Le plus tôt possible. *P. déteste travailler sans plans définis. Faites parvenir plans détaillés ou résultat non garanti. M.*

Elle le regarda, vaguement inquiète.

— Est-ce qu'il ne vaudrait pas mieux rester tranquille et attendre la suite des événements, patron?

— Ce n'est pas mon genre, répliqua Mason. Ce serait plus prudent, bien sûr, plus conventionnel. Mais l'affaire est parvenue à son point culminant. Si je reste tranquille, elle va se cristalliser contre la cliente qu'il me faudra représenter un jour.

— Mais si vous continuez à travailler pour cette même cliente, vous risquez de n'être jamais récompensé de vos peines, objecta Della.

— Je vais leur faire dresser les cheveux sur la tête, prophétisa Mason. Allez porter cette annonce au journal, Della, et dites aux acolytes de Paul de m'envoyer leur patron dès qu'il rentrera. Cette petite peste d'Adelle Hastings s'imagine qu'elle peut accaparer tous les atouts...

— Mais comment allez-vous les lui reprendre, patron, si vous travaillez sans cesse pour son bien?

— Je vais en faire une partie de sans-atouts! ricana Mason sans le moindre humour.

— Vous allez encore aller au-devant des histoires!

— On n'a rien sans risques, repartit Mason. Chaque fois qu'on se demande ce que va faire l'adversaire, on se met inconsciemment dans sa peau, et c'est contre soi qu'on travaille! Les vrais bagarreurs ne s'occupent pas de ce que fait l'ennemi. Ils font aller les choses à un rythme suffisamment accéléré pour que l'adversaire n'ait pas le temps de calculer ses coups.

— Quelque chose me dit que les événements vont se précipiter, fit Della en se dirigeant vers la porte.

— Ne bougez plus, Della, dit Paul Drake, surgissant dans le corridor. Avec ce rayon de soleil, on distingue vos jambes à travers votre robe. Elles sont épatantes. Pourquoi diable ne venez-vous pas en short au bureau?

D'humeur manifestement excellente, Drake s'appuya au chambranle de la porte.

— Quand je vous ai vu lui faucher son sac à main, Perry, s'esclaffa-t-il, j'ai cru que j'allais être obligé

d'intervenir pour me porter garant de votre moralité.

– Qu'est-ce qu'il raconte? demanda Della.

– Vous coûtez trop cher à votre patron, lui reprocha le détective. Il est obligé de voler des sacs à
main pour vous payer votre salaire.

– Allez-vous fermer cette satanée porte, Paul?
s'impatienta Mason. Ce qui se passe ici n'intéresse
pas les autres locataires.

Drake obtempéra.

– Alors, maintenant, qu'est-ce qu'on fait? demanda-t-il.

– Nous avons du pain sur la planche.

– Quelle sorte de pain, sur quelle sorte de planche?

Mason décrocha son téléphone, et dit :

– Gertie, demandez-moi le Dr Finley C. Willmont. Vous lui direz que c'est de la part de Perry
Mason et que c'est urgent. Je veux parler au docteur
lui-même.

– Vous attendez au bout du fil? questionna Gertie.

– Non. Passez-le-moi dès que vous l'aurez à l'appareil.

Il raccrocha.

– Cette petite peste me cache quelque chose,
dit-il à Paul Drake.

– Della?... Oh! oui. Ses jambes! gloussa le détective.

– Paul, je vous étrangle! cria Mason. Je parle
d'Adelle Hastings.

– Je croyais qu'elle vous mangeait dans la main.
Qu'est-ce qui ne va pas, Perry?

– Tout. Vous avez le nom et l'adresse de cet
ex-comptable du « Foyer Caché »?

– Arthmont A. Freel, Montway Rooms, petit bougre d'une soixantaine d'années, avec des épaules
voûtées, des cheveux teints, des yeux éteints, des

vêtements déteints, et une personnalité effacée. Il est aussi visible que de la cendre de cigare sur un tapis gris, par un matin brumeux.

– Gonflé à bloc, Paul, pas vrai?

– Eh bien!... oui.

– Pourquoi?

– Je ne sais pas. Je me sens bien, c'est tout. Je m'en suis payé une telle tranche quand notre Adelle a essayé d'appeler le flic à la rescousse et que vous lui avez fait le coup du sac...

Le téléphone lui coupa la parole. Mason décrocha le récepteur.

– Le Dr Willmont à l'appareil, annonça Gertie.

– Allô, Perry? Que puis-je faire pour vous?

– Bonjour, docteur, dit Mason. J'ai besoin d'un donneur de sang.

– Appartenant à quel groupe sanguin? s'informa le praticien.

– De n'importe quel groupe.

– Mais il faut que le donneur et le patient...

– Il n'y a pas de patient, docteur. Il n'y aura pas de transfusion. Je veux simplement un donneur.

– Mais que dois-je faire du sang?

– Vous le mettrez dans une bouteille, et vous n'y penserez plus. Je le prendrai encore frais. Je vais rester en rapport avec votre cabinet et vous ferai savoir le moment exact où j'en aurai besoin. Prévenez le donneur.

Le Dr Willmont hésita.

– Je mettrai ça sur le compte d'un essai clinique, dit-il enfin. Vous pouvez me laisser en dehors de tout ça, Perry?

– Bien sûr.

– Que comptez-vous en faire?

– Un essai clinique de criminologie appliquée, dit Mason.

– O.K.! Je vais m'en occuper.

– Je vous rappellerai plus tard. Ayez le donneur sous la main.

Il raccrocha et se tourna vers Paul Drake.

– En route, dit-il.

– Où allons-nous?

– Chez Freel.

La bonne humeur de Drake ne tarda pas à s'évaporer au contact du sauvage pessimisme de l'avocat. Il essaya une plaisanterie ou deux et renonça à ouvrir la bouche jusqu'à ce que la voiture se fût arrêtée devant le « garni ».

– C'est ici qu'il perche, dit-il. Avez-vous l'intention de le brutaliser, Perry?

– J'ai l'intention de brutaliser tout le monde jusqu'à ce que quelqu'un se décide à parler, grogna l'avocat. Allons-y.

Ils quittèrent la voiture et pénétrèrent dans la maison. Drake chuchota :

– C'est au deuxième étage, sur la cour. Suivez-moi.

Ils escaladèrent un escalier gémissant et le détective s'arrêta devant une porte.

Mason frappa.

– Qui est là? cria une voix fluette.

– Je m'appelle Mason, répondit l'avocat. J'ai des nouvelles pour vous.

Une clef grinça dans la serrure. La porte s'ouvrit et un petit homme, dont la tête arrivait à peine à l'épaule de Mason, regarda l'avocat par-dessus les montures d'acier de ses lunettes.

– Quel genre de nouvelles? demanda-t-il.

– Mauvaises, répliqua Mason.

Et il pénétra dans la chambre.

Drake le suivit. Freel referma la porte et les regarda s'installer sur les deux seules chaises disponibles.

– Je ne vous connais pas, dit-il en agitant le journal qu'il était en train de lire.

– Vous allez nous connaître, riposta Mason. Asseyez-vous.

Le petit homme s'assit sur le lit. La chambre était petite, nue, chichement meublée, avec un lit de fer à l'émail disparu.

Sous le lit, gisaient une vieille valise et un sac de voyage. Un manteau de tweed râpé reposait, soigneusement plié, sur la couverture grisâtre et rapiécée. Le miroir du lavabo réfléchissait les visages grotesquement déformés des trois hommes.

Nerveusement, Freel rejeta son journal.

– De quoi s'agit-il? demanda-t-il.

– Vous le savez aussi bien que moi, rétorqua Mason, l'œil aux aguets.

– J'ignore absolument de quoi vous voulez parler et pourquoi vous êtes ici.

– Vous avez tenu, voici de nombreuses années, les livres d'un orphelinat nommé « Le Foyer Caché »?

La nervosité du petit homme s'accroissait à vue d'œil.

– Oui, admit-il.

– Que faites-vous ici? demanda Mason.

– Je cherche du travail.

– Si vous disiez la vérité, histoire de changer un peu? proposa Mason.

– Je ne vous connais pas. Vous n'avez pas le droit de lancer de telles insinuations.

– Je pourrais lancer des accusations, dit Mason.

Une lueur de défi traversa les prunelles délavées.

– Pas contre moi, en tout cas, déclara Freel.

– Non? ronronna sarcastiquement Mason.

– Non.

– Je pourrais, par exemple, vous accuser du meurtre d'Albert Tidings.

– Moi! glapit Freel d'une voix suraiguë.

– Vous, confirma Mason en allumant une cigarette.

– Etes-vous... de la police? balbutia le petit homme.

Mason désigna Paul Drake.

– Cet homme est détective... (Il marqua un temps et ajouta en sourdine :)... privé. Il travaille sur l'affaire Tidings.

– Je ne sais pas de quoi vous parlez.

– Vous lisez pourtant le journal.

– Ah!... L'homme qui a été trouvé mort?

– C'est généralement ainsi qu'on retrouve les gens assassinés.

Freel s'assit à l'extrême bord du matelas.

– Vous n'avez pas le droit de venir m'importuner avec vos histoires à dormir debout, déclama-t-il d'une seule haleine. Vous n'avez pas le droit de...

– Gardez ça pour la prochaine visite, coupa Mason. Quand avez-vous vu Tidings pour la dernière fois?

– Je ne l'ai jamais vu. Je ne le connais pas.

Mason se contenta de rire.

– Quand avez-vous vu Mrs Tump pour la dernière fois? reprit Mason.

– Eh! dites donc, vociféra la voix fluette. J'ai... j'ai eu des rapports d'affaires avec Mrs Tump, un point c'est tout.

– Et avec Tidings?

– Je ne le connaissais pas. Je l'avais... je l'avais rencontré comme ça... par hasard. Enfin... pas exactement. C'est lui qui... qui me recherchait.

– Depuis quand?

– Oh!... pas longtemps. Une semaine. Dix jours.

– Ce n'est pas vous qui l'avez recherché?

– Non.

– Est-ce vous qui avez recherché Mrs Tump?

– Ma foi... Comment avez-vous dit que vous vous appeliez?

– Mason.

– Vous êtes Perry Mason, l'avocat?

– Oui.

– Mais alors... c'est vous qui représentez Byrl Gailord?

– Mrs Tump vous l'a dit?

– Oui.

– Que vous a-t-elle dit encore?

– Que vous alliez faire remettre à Byrl tout son argent.

– Que savez-vous de Byrl Gailord?

Soulagé, Freel s'installa plus commodément.

– Comprenez-moi bien, Mr Mason, dit-il d'une voix onctueuse, je n'ai pas pris part à la fraude originale. Le « Foyer Caché » avait à son actif de nombreuses irrégularités. Vous savez comment ça se passe. Les bébés de parents connus, et susceptibles d'être légalement adoptés, ne courent pas les rues. Et les demandes sont nombreuses. Les sociétés telles que le « Foyer Caché » mangent à tous les râteliers. Elles se font payer pour recueillir les enfants, et aussi pour les laisser adopter. Souvent, les filles-mères s'imaginent qu'elles pourront travailler et payer la pension des enfants, mais, quatre-vingt-dix-neuf fois sur cent, elles cessent de payer au bout de quelques mois.

Le petit homme s'arrêta et se racla la gorge.

– Continuez, ordonna Mason.

– C'est tout. Si les orphelinats sont réguliers, ils attendent que la mère ne paie plus pour livrer les gosses à l'adoption, mais parfois ils prennent des risques.

– C'est-à-dire?

– Eh bien!... ils n'attendent pas que la mère ne paie plus. Un très jeune bébé a plus de valeur qu'un enfant de quatre ou cinq ans.

– Pourquoi? demanda Mason.

– Plus ils sont vieux, plus ils ont de chances de se

rappeler de leur vie à l'orphelinat, exposa le sexa-génaire. Ils risquent alors de comprendre qu'ils ont été adoptés, et la plupart des gens préfèrent que les gosses les considèrent comme leurs véritables parents.

— Compris, dit Mason. Que s'est-il passé au sujet de Byrl Gailord?

— Ils ont pris des risques avec elle... et ils sont tombés sur un bec.

— D'où sortait-elle?

— Elle était russe, dit rapidement Freel. Ses parents étaient morts dans un naufrage. C'est Mrs Tump qui la leur avait apportée.

Freel humecta ses lèvres sèches et hocha pensive-ment la tête. Mason le contempla pendant quelques secondes et lui jeta, brusquement :

— Mrs Tump avait une fille, non?

Freel sursauta violemment.

— Comment ça, une fille?

— Une fille. Un enfant du sexe féminin.

— Pardon? Oh! oui, oui, je... eh bien! je ne sais pas. Je ne me souviens pas des détails. Mrs Tump a dû leur raconter toute l'histoire quand elle leur a remis l'enfant.

— Pourquoi dites-vous qu'elle a dû leur raconter toute l'histoire?

— Mais... ils tâchaient d'avoir le plus de renseigne-ments possibles sur les bébés qu'ils recueillaient. Ils n'obtenaient pas toujours le nom des pères...

— Revenons à Tidings, dit Mason.

— Tidings a voulu me tirer les vers du nez, déclara le petit homme. Il voulait apprendre tout ce que je savais. Je crois qu'il cherchait le défaut de la cui-rasse, quelque chose qui montrerait que Byrl Gai-lord n'était pas...

— N'était pas quoi? interrogea Mason.

— N'était pas... n'avait pas, voulais-je dire, légiti-mement droit à l'argent qu'il administrait.

– Le « Foyer » a-t-il vérifié l'histoire du navire torpillé? demanda Mason.

– Oh oui! ils vérifiaient toujours très soigneusement les questions de parentés. C'étaient des renseignements qui rapportaient gros au Foyer, vous savez, surtout lorsque l'enfant avait une telle ascendance.

Mason se leva et se mit à marcher de long en large.

Freel se tourna vers Drake.

– Vous me croyez, n'est-ce pas? s'inquiéta-t-il.

– Bien sûr, dit Drake d'un ton conciliant.

– Vous connaissez Coleman Reeger? lança Mason par-dessus son épaule.

– Non, dit Freel. Qui est-ce?

– Vous n'avez jamais entendu ce nom-là?

– Non, jamais. Et j'ai la mémoire des noms.

– Vous aviez bien oublié celui de Tidings, lui rappela Mason.

– Je mentais, avoua Freel. Je pensais qu'il vaudrait mieux que personne ne sache...

– Il est venu vous voir?

– Oui. Il a essayé de me soudoyer.

– Qu'en a dit Mrs Tump?

– Je ne le lui ai pas répété, s'exclama-t-il en proie à une soudaine panique. Il ne faut pas que vous le lui répétiez. Promettez-moi que vous ne lui direz rien.

Mason se retourna d'un seul coup, fit face au petit bonhomme :

– Vous mentez! dit-il.

– Non, Mr Mason. C'est la vérité vraie, la vraie vérité du Bon Dieu.

– Combien avez-vous touché?

– Rien, Mr Mason, je le jure. J'essaie simplement de réparer un tort que j'ai involontairement contribué à causer. Evidemment, je savais ce qui se passait au « Foyer », mais après tout, je n'étais qu'un simple comptable.

– Où sont les livres?

– Je n'en sais rien. J'ai été remercié.

– Mais vous vous rappelez de nombreux détails?

– Oui.

Mason le regarda dans les yeux.

– Votre témoignage ne vaudrait pas tripette, Freel, dit-il. Il y a trop longtemps que tout ça s'est passé. Aucun jury ne ferait confiance à votre mémoire.

– J'avais pris des notes, protesta Freel. J'avais pris des notes détaillées sur certains cas qui m'avaient paru... susceptibles de rebondir.

– Pourquoi?

– Pour le cas où je serais appelé à témoigner.

– Vous voulez dire que vous vouliez avoir de quoi faire chanter les gens!

Les épaules de Freel s'affaissèrent.

– Je ne sais pas de quoi vous parlez, dit-il, évitant le regard de Mason.

– Regardez-moi, Freel! ordonna Mason. Qu'y a-t-il derrière l'histoire de Byrl Gailord?

– Rien de plus que ce que je vous ai dit, affirma Freel.

– Je vais vous le dire, moi, commença Mason. Byrl Gailord est autant fille de grand-duc que vous et moi. Byrl Gailord est la fille naturelle de la fille de Mrs Tump. Cette histoire de grand-duc a été inventée récemment par Mrs Tump pour donner à l'enfant un prestige qu'elle ne possédait pas. Le testament de Gailord révélait qu'elle était sa fille adoptive. Ce testament lui léguait une fortune substantielle, mais dévoilait également sa naissance illégitime, et son origine obscure... Non, ne baissez pas les yeux, Freel. Regardez-moi bien en face. Mrs Tump voulait introduire la jeune fille dans la bonne société. Coleman Reeger s'intéressait à elle. Les parents de Reeger font partie du Haut Gratin, avec des majuscules. Ils n'auraient jamais consenti au mariage de leur fils avec Byrl, s'ils avaient connu ses véritables antécédents. Mrs Tump lui a donc fourni une ascendance brillante et presque incontrôlable. Elle savait qu'elle ne pourrait le faire seule, vous a recherché et a acheté votre témoignage.

Freel s'agita misérablement.

– Combien? demanda Mason.

– Quinze mille dollars, avoua Freel d'une voix cassée.

– Combien avez-vous réellement touché?

– Mille dollars. Je toucherai le reste lorsque...

– Lorsque Byrl épousera Reeger?

– Oui.

– Racontez-moi la suite.

– C'est tout. J'étais à bout de ressources. Mrs Tump m'a fait rechercher par des détectives. Elle m'a soumis cette proposition. Mille dollars d'acompte, c'était une somme. J'aurais accepté n'importe quoi.

– Et la jeune fille n'est pas plus russe que Mrs Tump elle-même.

– Un peu plus, tout de même. Le père était russe. C'était le fils d'un réfugié russe qui travaillait comme maître d'hôtel dans une brasserie.

Les mains profondément enfoncées dans les poches de son pantalon, Mason reprit sa promenade circulaire. De temps en temps, ses yeux s'en revenaient scruter le visage de Freel.

– Je ne vois pas pourquoi Tidings voulait vous soudoyer pour que vous changiez votre témoignage, dit enfin l'avocat. Que voulait-il exactement?

– Je ne sais pas, Mr Mason, dit vivement Freel. Nous ne sommes pas allés jusque-là. Je lui ai tout de suite fait comprendre que ses propositions ne m'in-

téressaient pas... que je ne mangeais pas de ce
pain-là.

— Mais vous mangez de ce pain-là! Voilà le hic, dit
Mason. Vous vous êtes laissé acheter par
Mrs Tump.

— C'était différent, Mr Mason. Tidings voulait que
je l'aide à confondre Mrs Tump.

— Que voulait-il exactement?

— Il voulait me faire changer mon témoignage.

— De quelle façon? Il voulait que vous disiez la
vérité?

— Non. Il ne connaissait pas la vérité.

— Alors, que voulait-il?

— Je vous l'ai dit. Je n'en sais rien.

— Comment vous a-t-il retrouvé?

— Je n'en sais rien. J'étais dans ma chambre, et un
jour il est entré, tout comme vous.

— Quand cela?

— Il y a de ça une semaine environ.

— Et qu'a-t-il dit?

— Il m'a offert de l'argent pour que je change mon
histoire.

— Dans quel but?

— Je n'en sais rien, encore une fois.

— Quand Mrs Tump vous a-t-elle remis cet
acompte de mille dollars?

— Il y a deux mois environ.

— Et vous avez pris le temps de fignoler votre
histoire, de falsifier un document ou deux?

— Eh bien!... oui. Il fallait tout de même que j'étaie
mon histoire.

— Freel! accusa Mason, vous n'avez pas attendu
que Tidings vienne vous chercher. Vous êtes allé le
trouver. C'est avec lui que vous avez établi votre
premier contact. Vous vouliez lui vendre ce que
vous saviez sur l'origine de Byrl Gailord. Parce qu'il
était administrateur de ses biens, vous pensiez que
ça pourrait l'intéresser. Puis vous êtes allé voir

Mrs Tump, ou Mrs Tump est venue vous voir, elle vous a donné de l'argent, mais vous travailliez toujours pour Tidings... Que voulait Tidings?

Freel posa ses mains sur ses genoux, et ce fut d'une voix étouffée qu'il répondit :

— Vous n'y êtes pas du tout, Mr Mason. Ce n'est pas du tout comme ça que ça s'est passé.

Mason le saisit au collet, l'arracha à son lit, rejeta l'oreiller, la couverture, et palpa le matelas.

— Aidez-moi, Paul, dit-il. Autant commencer par le plus évident.

Ils empoignèrent le matelas et le retournèrent prestement. Freel se cramponna au bras de Mason.

— Non! non! hurla-t-il, en tentant futilement de retenir l'avocat. Vous n'avez pas le droit...

Au centre du matelas, s'entrecroisaient des bandes de ruban adhésif. Mason sortit son canif de poche et se mit à les couper. Freel se précipita vers lui, poings levés.

— Occupez-vous de lui, Paul, dit Mason.

Drake ceintura le petit homme, tandis que Mason tirait de l'ouverture pratiquée une liasse de billets de mille dollars. Il les compta. Il y en avait juste dix.

— Qui vous a donné cet argent, Freel?

— Mrs Tump!

Mason empocha les billets.

— Tant pis pour vous, Freel, déclara-t-il. Si vous vous obstinez, j'emporte cet argent et je le remets entre les mains de la police.

Freel se lécha les lèvres.

— Que voulez-vous? gémit-il.

— La vérité, dit Mason.

— Et vous me rendrez l'argent?

— Oui.

— C'est Tidings qui me l'a donné, soupira Freel.

— Racontez! ordonna Mason.

– J'ai dupé Mrs Tump, admit Freel d'un ton misérable. Vous avez raison. J'ai peut-être fait un peu de chantage. Il a bien fallu que je vive, après mon départ du « Foyer ». J'ai touché un peu d'argent, ici et là. Pas beaucoup. Et il fallait bien que je m'adresse aux gens qui ne pouvaient pas avoir recours à la police, aux gens que toute publicité aurait ruinés. Je ne demandais jamais beaucoup d'argent, Mr Mason. Juste de quoi vivre.

– Continuez! Parlez-moi de Tidings.

– Je suis allé trouver Tidings. Je lui ai dit ce que je savais de Byrl Gailord. Il m'a ri au nez et m'a jeté dehors.

– Et alors?

– Alors, au moment où je m'y attendais le moins, Mrs Tump est venue me voir. Elle m'a offert mille dollars comptant et quinze mille plus tard si je l'aidais à accréditer son histoire de haut fonctionnaire russe, de naufrage et d'adoption... Il n'y avait pas un mot de vrai dans tout ça. L'enfant était la fille naturelle de sa propre fille, à présent mariée avec un banquier de Des Moines. S'il l'avait appris, ç'aurait fait un beau scandale... Mais ce n'était pas la raison principale des manœuvres de Mrs Tump. Elle voulait que Byrl ait sa chance de réussir dans la haute société, à cause de cette perspective de mariage avec le fils Reeger.

– C'est alors que Tidings s'est manifesté?

– Oui. Il voulait me faire promettre que, le moment venu, je dirais toute la vérité. C'était tout ce qu'il me demandait.

– Qu'avez-vous fait?

– J'ai essayé de protéger Mrs Tump. Je lui ai dit que c'était impossible. Il m'a dit qu'il en avait assez contre moi pour me faire inculper de faux témoignage; puis il m'a offert dix mille dollars et... eh bien! il valait mieux que j'accepte l'argent, puisque, de toute manière, il possédait les moyens de m'obliger à faire ce qu'il voulait. Il me tenait... Mes activités pendant les dernières années n'auraient pas supporté un examen trop approfondi, et il le savait aussi bien que moi.

— Avez-vous tué Tidings? demanda Mason.

— Bien sûr que non, gémit Freel. Je ne l'ai pas tué. Je n'ai jamais tué personne.

Mason lui jeta les dix mille dollars.

— Voilà votre argent, Freel. Venez, Paul.

Freel regarda sortir les deux hommes, puis courut à la porte et la verrouilla derrière eux.

— Il va essayer de filer, observa Drake.

— Je veux qu'il essaie de filer. Et je veux savoir où il va.

Drake s'arrêta au drugstore du coin pour téléphoner à son bureau.

— Un de mes hommes sera là dans dix minutes, annonça-t-il en ressortant.

Les deux hommes montèrent dans la voiture de Drake.

— Et maintenant, dites-m'en davantage sur Peltham, murmura Mason.

— Que voulez-vous savoir?

— Vous m'avez dit qu'il habitait dans un hôtel loué par appartements?

— Oui.

— L'hôtel comporte-t-il un garage?

— Oui. Au sous-sol. Il y a un surveillant.

— Peltham est-il parti avec son automobile?

— Non. Sa voiture est toujours là.

— Vous avez son numéro et sa description?

— Tout est dans le rapport que je vous ai envoyé à votre bureau.

— Le numéro de son appartement, et tout le reste?

— Oui.

— Je suppose que la police l'a fouillé?

— Ils l'ont passé au peigne fin.

– Est-ce qu'ils le surveillent encore?

– Je n'en sais rien, mais c'est probable.

– J'ai bien peur que ça complique un peu la situation.

– Perry, dit soudain Paul Drake, j'aime autant que vous ne me mettiez pas au courant de ce que vous vous apprêtez à faire. Ça ne me dit absolument rien qui vaille.

Mason se renversa sur les coussins de la voiture du détective.

– A moi non plus, confessa-t-il.

VIII

Mason quitta son taxi devant le *Giltmont Arms Apartment Hotel,* et paya le chauffeur tandis que le portier en livrée s'emparait de ses deux valises ornées des étiquettes d'une demi-douzaine de pays étrangers.

– Il se peut que je reste ici deux ou trois mois, dit Mason à l'employé de la réception. Ma nièce va m'amener son automobile, pour que je m'en serve pendant mon séjour. Il me faudra une place dans le garage de l'établissement. Je ne voudrais pas être logé trop haut. Quelque chose comme le dixième étage ferait très bien mon affaire. J'irai jusqu'à deux cent cinquante dollars par mois.

– Je crois que je vais avoir juste ce qu'il vous faut, répondit l'employé, Mr... euh...

– Perry, dit Mason.

– Oui, Mr Perry. Je vais vous faire visiter.

Il fit signe à un groom.

– Montrez le 1042 à Mr Perry, ordonna-t-il.

Mason suivit le groom dans la direction de l'ascenseur.

Le 1042 était un appartement de trois pièces, confortablement meublé, et Mason se déclara satisfait. Il décrocha le téléphone et dit à l'employé :

– Vous voudrez bien me prévenir dès que ma nièce arrivera, et je descendrai voir le garagiste pour...

– Ce ne sera pas nécessaire, monsieur Perry, protesta l'employé. Je vais donner au garagiste toutes les indications voulues...

– Non, je vous remercie, coupa fermement Mason. Je veux veiller moi-même à ce que la voiture soit placée à un endroit où elle sera facilement accessible à n'importe quelle heure.

– Entendu, Mr Perry.

Mason raccrocha le récepteur, prit un trousseau de clefs qu'il compara avec celle du 1042. Il choisit trois passe-partout, les essaya sur sa propre porte. Le deuxième ouvrait facilement la serrure. Il le mit dans sa poche, sortit de son appartement, et parcourut le corridor jusqu'à ce qu'il parvienne à la porte marquée « 1029 ». C'était l'appartement de Peltham. Posément, Mason glissa son passe-partout dans la serrure, ouvrit la porte et entra.

Il tira de sa poche une minuscule torche électrique, et se dirigea tout droit vers la penderie. Il y préleva une gabardine noire, s'assura qu'elle portait l'étiquette du tailleur et les initiales de son propriétaire, referma la penderie, quitta l'appartement, ôta les gants qu'il avait enfilés et regagna le 1042.

Quelques instants plus tard, il appela Della Street au drugstore, où elle attendait ses instructions.

– Tout va bien ? demanda-t-elle.

– Comme sur des roulettes.

– J'arrive tout de suite.

Mason raccrocha. Le téléphone sonna peu de temps après et l'employé de la réception annonça :

– Votre nièce est là, Mr Perry.

Le détective de l'hôtel lisait son journal dans le hall, mais il n'accorda à Mason qu'un regard distrait.

Della Street glissa son bras sous celui de Mason.

– B'jour, mon oncle, dit-elle gamine.

– Bonjour, ma chérie.

Della avait rangé la voiture au coin de la rue.

– Vous avez fait ce que je vous avais dit? s'informa Mason.

– Oui, patron.

– O.K.! Attendez-moi ici.

Il contourna le bâtiment et descendit le plan incliné qui conduisit au sous-sol. Assis dans une conduite intérieure, le garagiste écoutait la radio. Lorsqu'il vit arriver Mason, il s'empressa de couper l'émission et de parquer la voiture avec un luxe de précautions exagérées.

Mason attendit qu'il eût fini, et sortit ostensiblement son portefeuille de sa poche.

– Je m'appelle Perry, déclara-t-il. Je viens de prendre le 1042. Ma nièce a bien voulu mettre sa voiture à ma disposition pendant la durée de mon séjour; elle l'a amenée jusqu'à l'entrée, là-haut, mais la voiture refuse de redémarrer. Pourriez-vous aller voir ce qui cloche et la rentrer?

– Bien sûr, affirma le garagiste. Elle a noyé le carburateur, voilà tout. Les femmes n'en font jamais d'autres.

Mason dut déplacer deux voitures avant de pouvoir sortir celle de Peltham. Il s'éloigna doucement par la rue de traverse. Le garagiste s'expliquait toujours avec la voiture récalcitrante. En se retournant, Mason vit Della Street lui faire signe d'aller de l'avant et comprit que tout allait bien.

Il s'arrêta devant un drugstore, et appela le Dr Willmont à son club.

– O.K.! docteur, dit-il, je suis prêt à tenter l'expérience dont je vous ai parlé.

– Quand le voulez-vous? demanda le docteur.

– Aussitôt que possible.

– Dans une demi-heure, à la Fondation Hastings?

– D'accord. Laissez-le au bureau à mon intention.

– Je vais vous le mettre dans un thermos spécial dont je me sers occasionnellement, dit le Dr Willmont. Veillez à ce qu'il me soit retourné lorsque vous aurez terminé votre expérience.

– Je vous le ferai parvenir demain sans faute. Vous êtes certain que tout sera prêt dans une demi-heure?

– Absolument. Le donneur se tient à notre disposition.

Mason remercia le médecin et raccrocha.

Il conduisit la voiture de Peltham dans un coin isolé, coupa le contact, étala le manteau de l'architecte sur un buisson, tira un revolver de sa poche, le tint suffisamment près de la gabardine pour laisser des brûlures de poudre sur l'étoffe, et tira une balle sous le revers gauche.

Puis il alla prendre livraison du récipient et conduisit la voiture à l'endroit exact où avait été retrouvée celle d'Albert Tidings.

Ouvrant le thermos, il satura de sang humain la périphérie du trou provoqué par la balle. Il en répandit sur les coussins et le plancher de la voiture, en déposa quelques traces sur le volant et dessina à l'intérieur de la gabardine un mince ruisselet reliant la pseudo-blessure au siège et au plancher de l'automobile. Lorsqu'il eut épuisé sa provision de sang, il examina son œuvre et hocha la tête avec satisfaction.

Il marcha d'un bon pas vers le nord. Bientôt des

phares surgirent dans la nuit, et Della Street s'arrêta pile à sa hauteur.

– O.K.? patron, demanda-t-elle.

– Sans bavures, répliqua-t-il.

– Et qu'est-ce que tout ça va donner?

– Nous n'allons pas tarder à le savoir, ricana-t-il en s'installant près de sa « nièce ».

Un quart d'heure plus tard, Mason rédigeait à l'intention de miss Adelle Hastings, 906, Cleveland Square, un télégramme ainsi conçu :

Extrêmement important demander P. si d'accord pour invalider vente actions Compagnie Prospection Ouest à administrateur biens Gailord. Télégraphier réponse immédiate à mon bureau. M.

IX

Carl Mattern, secrétaire d'Albert Tidings, ouvrit la porte de son appartement et regarda Mason avec son expression caractéristique de hibou ébloui par le jour.

– Bonsoir, Mr Mason, dit-il.

– J'aimerais vous poser quelques questions, dit Mason.

Mattern referma la porte derrière eux et indiqua une chaise à son visiteur.

– Que puis-je faire pour vous, Mr Mason?

– Ce serait plutôt pour vous qu'il y aurait quelque chose à faire, dit Mason.

– Que voulez-vous dire?

– Quelqu'un prétend qu'après avoir quitté les bureaux de Loftus et Cale vous êtes allé présenter votre rapport à Tidings, que vous vous êtes pris de querelle avec lui, qu'il vous a accusé de posséder dans la transaction un intérêt personnel, et que vous l'avez tué.

– C'est absurde, déclara Mattern. En premier lieu, je puis prouver comment j'ai employé chaque minute de mon temps après mon départ des bureaux de Loftus et Cale.

– Si ça ne vous fait rien, j'aimerais que nous en fassions rapidement l'inventaire?

Mattern s'empara d'un petit calepin.

– Avec plaisir, dit-il. Lorsque j'ai compris qu'on me demanderait probablement de rendre compte de mes actes, j'ai préféré ne pas me fier à ma mémoire... Pour commencer, j'ai quitté le bureau des courtiers à 11 h 8 exactement. Je suis retourné à mon bureau où Mr Tidings m'a téléphoné vers midi. Je lui ai dit que l'affaire était conclue, et que Mrs Tump avait essayé de le voir. J'ai téléphoné ensuite à l'une de mes amies, qui travaille dans un bureau voisin, et lui ai demandé de déjeuner avec moi. Nous sommes descendus à midi 5, et avons repris l'ascenseur à 1 heure moins 5.

– Je suppose qu'elle pourra confirmer non seulement le déjeuner, mais aussi l'heure à laquelle vous l'avez rejointe et l'heure à laquelle vous l'avez quittée? dit Mason.

– Assurément. Elle travaille sous les ordres d'un chef de service très pointilleux. Il faut qu'elle rejoigne son poste à une heure précise.

– Je vois.

– Ensuite, continua Mattern, je suis retourné au bureau. Il y avait certains détails administratifs à discuter avec le gérant de l'immeuble, et j'ai appelé sa secrétaire pour lui demander un rendez-vous.

– Il vous a été accordé?

– Oui. A 1 h 25. J'ai discuté un quart d'heure avec le gérant. J'avais dit à sa secrétaire qu'il ne me faudrait pas plus de temps, et je me rappelle avoir consulté ma montre en ressortant et lui avoir fait remarquer que je n'avais pas cru si bien dire.

– Ensuite?

– Je suis allé dans une bijouterie, où travaille un type que je connais, pour acheter une montre neuve. Il m'a fait l'article pendant près d'une demi-heure.

– Il s'en souviendra? Et de l'heure également?

– Sans nul doute! s'esclaffa Mattern. Nous nous sommes chamaillés sur l'exactitude des montres. Je lui ai parié que ma vieille tocante ne perdrait ou ne gagnerait pas plus d'une seconde en une demi-heure sur son chronomètre de précision. Je suis resté une demi-heure encore et nous avons vérifié l'aiguille des secondes.

– Ce qui nous mène à 2 heures et demie, souligna Mason.

– Oui. Ensuite, j'ai pris rendez-vous au bureau, à 3 heures moins le quart, avec le comptable qui s'occupe des déclarations de revenus de Mr Tidings, et nous avons travaillé ensemble jusqu'à 5 heures.

– Et après 5 heures? demanda Mason.

– J'ai pris rendez-vous à 5 h 20 avec une jeune femme. Nous avons dîné ensemble, et nous sommes allés au cinéma.

– La même jeune femme avec laquelle vous aviez déjeuné?

– Non. Une autre.

– N'était-il pas un peu tôt pour aller dîner?

– Oui, peut-être. Mais je voulais arriver à temps pour la première séance.

– Et mardi matin? insista Mason.

– Je suis arrivé au bureau à 9 heures Mr Tidings est arrivé un quart d'heure après. Nous avons expédié les affaires courantes, puis nous avons discuté de l'achat des actions de la C.P.O., et vous avez téléphoné. Mr Tidings s'est mis à vouer

Mrs Tump à tous les diables, nous avons parlé d'elle pendant quelques minutes, Mr Tidings est parti, et je suis sorti moi-même pour aller régler ce transfert d'actions.

– Avez-vous vu quelqu'un, mardi matin, en dehors de Tidings?

– Les courtiers. Et Mrs Tump, peu après 11 heures.

– Et avant cela?

Mattern réfléchit un instant, et secoua la tête.

– Non, concéda-t-il. Je ne pense pas que personne soit venu au bureau.

– En revanche, vous pouvez rendre compte avec exactitude de votre emploi du temps de l'après-midi?

– Oui, monsieur. A aucun moment, il n'y a plus de vingt minutes d'intervalle entre mes rendez-vous, et il aurait été impossible à qui que ce soit d'aller jusqu'à ce bungalow où le corps a été retrouvé, et de regagner le centre de la ville en un temps aussi court.

– Voilà qui est significatif! gouailla Mason.

– Que voulez-vous dire? s'exclama Mattern, stupéfait.

Mason le regarda dans les yeux.

– Vous n'avez pas d'alibi jusqu'à mardi matin, vers 11 heures. Ensuite, vous en possédez de parfaits pour chaque minute, ou presque, de votre temps, et qui plus est, vous avez pris à chaque fois toutes les précautions pour que l'heure se grave dans les mémoires de vos témoins.

– Que voulez-vous dire? répéta Mattern.

– Je veux dire que vous vous êtes appliqué à vous ménager tous ces alibis...

– Je ne... je ne vois pas où vous voulez en venir, Mr Mason.

– Oh! si, Carl, dit doucement Mason. Vous saviez

que Tidings était mort longtemps avant votre visite aux bureaux de Loftus et Cale.

Il y eut un long silence. Ecarquillés et globuleux derrière les lunettes à monture noire, les yeux de Mattern trahissaient son inquiétude.

– Je ne pense pas que vous l'ayez tué, Carl, dit Mason. Mais je sais que vous aviez un intérêt dans cette transaction. Vous saviez qu'il était mort avant que la transaction soit conclue; et vous saviez qu'il fallait que personne ne le sache pour que cette même transaction soit valable.

– Mr Mason! protesta Mattern, je vous assure que...

– Ne cherchez pas la bagarre, Carl, coupa Mason, en allumant une cigarette. Je suis un adversaire dénué de tous scrupules.

– Et alors?

– Quand je lutte pour un client, je frappe l'adversaire où ça lui fait le plus mal. Et je n'hésite pas à lui porter des coups bas ni à l'attaquer par derrière. La personne que je représente va être accusée du meurtre de Tidings, Carl...

– Et vous allez me rejeter le meurtre sur le dos pour sauver cette personne? compléta Mattern.

Mason tira voluptueusement sur sa cigarette, et croisa devant lui ses longues jambes.

– Exactement, dit-il.

– Vous voulez dire que vous allez monter une machination pour faire condamner un innocent...

– Doucement, Mattern, trancha sèchement Mason. Je n'ai pas dit que je m'attaquais aux innocents.

– Mais je suis innocent!

– En toute franchise, Carl, je ne crois pas que vous l'ayez assassiné.

– Alors, pourquoi m'accusez-vous du meurtre?

– Je ne vous accuse pas du meurtre. Je dis simplement que vous saviez qu'il était mort avant mardi midi, que vous avez camouflé cette mort, et que vous vous êtes bâti d'excellents alibis.

– Vous êtes cinglé, murmura Mattern.

– Je veux bien croire que vous n'avez pas commis le meurtre, enchaîna Mason. Je veux bien croire que vous avez simplement arrangé les choses à votre goût pour pouvoir conclure la vente des actions de la C. P. O. Vous n'avez oublié qu'une chose, Carl, c'est qu'en maquillant les faits vous vous exposiez à être condamné pour meurtre par n'importe quel jury.

Le visage de Mattern se crispa.

– Ils ne pourraient pas me condamner, dit-il.

– Oh! si, ils le pourraient. Supposons, par exemple, que vous ayez été au courant de l'incursion de Tidings dans le bungalow de sa femme. Supposons que vous y soyez allé mardi matin, avec une serviette pleine de courrier et de documents, pour lui demander ses instructions, et que vous l'ayez trouvé mort sur le lit. Vous saviez que la mort de Tidings rendait impossible la transaction projetée, et vous avez décidé de fixer à midi environ l'heure de cette mort. Mon coup de téléphone vous a procuré une excellente occasion de consolider votre subterfuge. Je n'avais jamais entendu la voix de Tidings. Un petit tour de passe-passe vocal et vous m'avez donné l'impression d'avoir parlé au téléphone à Tidings lui-même.

» Vous êtes très habile, Mattern, mais je connais la psychologie du juré moyen. Lorsqu'on saura à quels tripatouillages vous vous êtes livré pour rendre valable cette transaction, n'importe quel jury conclura que vous avez tué Tidings mardi matin. Et cette conclusion coïncidera avec celle du médecin-légiste.

– Mais rien de tout cela ne peut être prouvé, objecta Mattern.

Mason sourit.

– Oh! si, dit-il. Je peux tout prouver.

– Comment?

– Je ne vais quand même pas vous dévoiler toutes mes batteries, Mattern, mais vous avez été un peu trop cupide et un peu trop pressé. Lorsque vous avez compris que la transaction pourrait être invalidée, vous avez mis trop de hâte à percevoir votre commission. Et ce Bolus est un égoïste, vous savez. Lorsque les autorités l'accuseront de complicité dans le meurtre de Tidings, il remuera ciel et terre pour prouver qu'il n'a fait que vous aider à maquiller la transaction et que vous seul êtes responsable de la mort de Tidings.

Mal à l'aise, Carl Mattern remua les pieds sous son siège.

– Que voulez-vous que je fasse? demanda-t-il.

– Rien, répondit Mason, légèrement surpris. Absolument rien. Je voulais simplement vous faire savoir que, lorsque le moment viendra de défendre mon client, je vous mettrai dans le bain sans la moindre difficulté.

Mattern émit un rire bref.

– Je ne vois pas où vous voulez en venir, Mr Mason. En m'avouant vos intentions, vous vous placez en mon pouvoir. Supposez que je rapporte cette conversation au jury?

– Vous n'aurez pas à vous donner cette peine, repartit Mason, car je la rapporterai moi-même. N'oubliez pas, Mattern. Je suis entré vous dire en passant que j'avais des raisons de croire que vous saviez que Tidings était mort avant la conclusion de cette transaction. Je voulais d'abord entendre à nouveau votre voix pour me convaincre que c'était bien vous qui m'aviez joué cette petite comédie, mardi matin, au téléphone. J'en suis convaincu, maintenant.

» Vous vous souviendrez également que l'une des raisons de cette visite était de vous demander si vous aviez un intérêt personnel dans la vente des actions de la C. P. O.

– Et je vous ai répondu que je n'en avais aucun, dit Mattern.

Mason se leva, bâilla, s'étira et dit :

– Vous connaissez le colonel Gilliland?

– Non, dit Mattern.

– C'est lui qui dirige le bureau de répression des fraudes en matières d'impôts sur les revenus, expliqua Mason. Un garçon charmant. Vous n'allez pas tarder à faire sa connaissance.

Les yeux de Mattern avouèrent l'anxiété qui venait de l'envahir.

– C'est un de mes amis, précisa Mason. Le gouvernement n'est pas fou, vous savez. Quand quelqu'un leur signale une tentative de fraude, ils font une enquête très approfondie, et la personne qui a passé le tuyau au service compétent touche un pourcentage sur les taxes récupérées. On n'a jamais raison avec le gouvernement, Mattern. Ils examinent les livres des banques et la comptabilité des entreprises commerciales. Ils ont le pouvoir de fourrer leur nez partout... Eh bien! mais... il est temps que je parte, Mattern. Au revoir.

– Eh, une minute! cria Mattern. Vous n'allez pas me flanquer dans les pattes de ce Gilliland?

– Mais vous n'avez pas à vous inquiéter, Mattern, dit Mason d'un ton rassurant. Si vous n'avez touché aucune commission sur ces cinquante mille dollars, vous ne craignez absolument rien. Naturellement, Gilliland va éplucher les livres de la Compagnie de Prospection de l'Ouest, disséquer la déclaration de Bolus, vérifier les opérations bancaires, examiner vos propres dépôts, que sais-je encore? C'est un homme minutieux, et très compétent.

– Ne partez pas, Mason, dit Mattern. Asseyez-vous.

– Pourquoi?

– J'ai touché dix mille dollars sur cette transaction, admit Mattern.

– Voilà qui est mieux, observa Mason en regagnant son siège. Racontez-moi tout.

– Il n'y a pas grand-chose à raconter, dit doucement Mattern. Il me fallait cet argent.

– Pourquoi?

– Oh!... quelques tuyaux réputés increvables. Vous savez comment ça se passe.

– Je vois... C'est Bolus qui s'est mis en rapport avec vous?

– Non. C'est moi qui suis allé le trouver. Je devais toucher cinquante pour cent si je parvenais à intéresser Tidings à ces actions. Elles sont appelées à avoir une grande valeur, Mr Mason, c'est réellement...

– Mais vous n'avez pas touché ces cinquante pour cent? coupa Mason.

– Non, dit amèrement Mattern. Ce salopard de Bolus m'a roulé. Et je ne pouvais plus faire machine arrière. Il m'a raconté qu'il avait dû inclure un banquier dans le partage – un banquier auquel Tidings avait demandé un rapport sur les actions de la C. P. O. – et que je n'aurais que dix mille dollars au lieu de vingt-cinq mille.

– O.K.! dit Mason. Continuez. Comment saviez-vous que Tidings était mort?

– Je ne le savais pas. Je...

– Mon œil! ricana Mason.

– Sincèrement, Mr Mason.

– Mattern, je commence à avoir soupé de vos mensonges, gronda Mason. Je ne sais pas ce qui me retient d'aller parler de vous au D. A.

– Vous n'avez rien contre moi, dit Mattern.

– En premier lieu, vous aviez besoin de ces dix mille dollars parce que vous aviez mal choisi vos canassons, pas vrai?

– Oui. Et alors? Suis-je le seul à perdre aux courses?

– Non. Mais il faut de l'argent pour perdre aux courses.

– Eh bien?... J'ai trouvé cet argent.

– Après l'avoir perdu, approuva sarcastiquement Mason. Je mettrais ma tête à couper, Mattern, que vous aviez fait vos premiers paris avec de la galette prélevée sur les fonds administrés par Tidings. L'apurement des comptes vous aurait laissé dans un drôle de pétrin, si vous n'aviez pas trouvé ces dix mille dollars.

Un simple regard au visage défait de Carl Mattern prouva à Mason qu'il avait fait mouche.

– O.K.! dit-il. Voilà comment je vois l'affaire. Vous aviez détourné des fonds administrés par Tidings. Tidings s'en était aperçu. Mardi matin, il a mis les pieds dans le plat et vous a dit qu'il allait vous envoyer en taule. Vous saviez que, si vous pouviez gagner quelques heures, la vente des actions de la C. P. O. vous permettrait de restituer la galette évaporée. Vous avez perdu la tête, et vous avez braqué un revolver dans la direction de Tidings. Il a tenté de vous désarmer, et vous avez pressé sur la détente.

– C'est faux! cria Mattern. Aucun jury ne me condamnera pour meurtre. Il n'y a pas l'ombre d'une preuve.

Mason sourit.

– Bonsoir, Mattern, dit-il. Et merci. Il est inutile que je me tracasse pour mon client. Vous ferez un excellent bouc émissaire.

– Ecoutez, gémit Mattern. Je vais tout vous dire, Mr Mason. Je ne l'ai pas tué. Il était déjà mort depuis un certain temps quand je l'ai découvert.

– Quand cela?

– Mardi matin, vers 8 heures et demie.

– Où?

– Où on l'a retrouvé ensuite. Sur le lit, dans le bungalow.

– Je vous écoute.

– Tidings essayait de coincer sa femme. Il m'avait dit qu'elle entretenait des relations secrètes avec un type que la situation de Mrs Tidings obligeait à rester dans l'ombre. Tidings disait qu'il avait découvert l'identité de cet homme et qu'il allait avoir avec sa femme une explication finale. Il devait signer des papiers importants et m'avait promis d'être au bureau à 7 heures et demie, le mardi matin.

» A 8 heures, ne le voyant pas, j'ai mis les papiers dans une serviette, j'ai pris ma voiture et suis allé jusqu'à la maison de sa femme. Je pensais qu'ils s'étaient peut-être réconciliés. Il était fou d'elle. La porte n'était pas fermée. Je suis entré. J'ai suivi les taches de sang et... vous savez ce que j'ai trouvé.

– Qu'avez-vous fait alors? demanda Mason.

– Je suis reparti en vitesse. J'étais mort de peur. Une fois Tidings décédé, la vérification de ses livres était inévitable, mes détournements seraient découverts, et je serais jeté en prison. S'il avait vécu quelques heures de plus, j'aurais restitué l'argent, et ni vu ni connu... Et puis je me suis dit que le corps ne serait sans doute pas découvert avant un certain temps et que je pourrais peut-être prolonger la vie apparente de Tidings jusqu'à ce que la transaction avec la C. P. O. soit conclue. Je savais que le chèque volant était établi à l'ordre des courtiers... Vous êtes au courant du reste.

– C'est bien avec vous que j'ai causé, mardi matin?

– Oui. Je ne voulais pas dire que Tidings était absent du bureau. Je savais que vous n'aviez jamais entendu la voix de Tidings, et je déguise assez facilement la mienne. J'ai fait un peu de music-hall, en amateur...

– Possible, Mattern, mais votre dernier tour de

chant fait de vous le candidat idéal du District-Attorney.

– Je suis innocent, Mr Mason. Il faut que vous me croyiez.

Mason l'étudia un instant.

– Le mieux que vous ayez à faire, Mattern, c'est de m'aider à retrouver le vrai meurtrier. C'est votre seule porte de sortie.

Impulsivement, Mattern lui tendit la main.

– Vous êtes régulier, Mr Mason, dit-il. Vous pouvez compter sur moi.

Les deux hommes se serrèrent la main.

X

Un télégramme gisait sur le bureau de Mason lorsqu'il pénétra, le vendredi matin, dans son cabinet, et Della Street lui annonça que Mrs Tump l'attendait impatiemment dans le bureau de réception.

Ai contacté personne en question, disait le télégramme. *Aucune raison s'inquiéter actuellement. Continuez. Tout va bien. Adelle Hastings.*

Mason fourra le télégramme dans sa poche et dit :

– En avant. Voyons ce que désire Mrs Tump.

Della Street introduisit Mrs Tump dans le bureau privé. Les yeux gris de la sexagénaire lançaient des étincelles. Seules, ses lèvres souriaient.

– Bonjour, Mr Mason, dit-elle.

– Comment allez-vous, Mrs Tump?

– Très bien, merci. Qu'avez-vous découvert?

– Pas grand-chose, admit Mason.

– Et au sujet de cette vente de cinquante mille dollars d'actions?

138

– Je vais la faire annuler, dit Mason.

– Les actions ne valaient rien?

Il indiqua une chaise à sa visiteuse, lui offrit une cigarette, et continua :

– Ces actions appartenaient en propre au président de la compagnie. Voilà qui doit répondre à votre question. Je vais faire annuler cette vente en prouvant que Tidings était mort avant que la transaction ait été conclue.

– Comment allez-vous le prouver?

– En premier lieu, grâce au témoignage du médecin légiste. Du moins, je l'espère.

– Je vais vous parler franchement, monsieur Mason, annonça Mrs Tump, les yeux durs.

– Je vous écoute.

– Voilà, Mr Mason. Quand je vous ai demandé de vous charger des intérêts de Byrl, vous avez cherché à gagner du temps. Vous n'aviez alors aucun moyen de savoir que Mr Tidings était mort?

– C'est exact, reconnut Mason.

– Et si vous pouvez prouver que Mr Tidings est mort avant 11 heures, mardi matin, cela permettra à Byrl de récupérer cinquante mille dollars?

– Exact.

– Qui paiera ces cinquante mille dollars?

– Nous intenterons un procès à Loftus et Cale, dit Mason, et ils essaieront d'arracher l'argent à Bolus, le président de la C. P. O. En raison des avertissements que je leur ai prodigués, ils ont déjà pris leurs précautions, et je ne doute pas que tout aille pour le mieux.

– Vous avez été très habile, Mr Mason.

– Merci.

– Mr Mason, représentez-vous Adelle Hastings?

– A quel sujet, Mrs Tump?

– A n'importe quel sujet.

– Les affaires des clients d'un avocat sont toujours confidentielles, Mrs Tump, lui rappela Mason.

– Vous comprenez ce que je veux dire. Si elle était accusée du meurtre de Tidings, la représenteriez-vous ?

Mason étudia pensivement l'extrémité incandescente de sa cigarette.

– Il m'est très difficile de vous répondre, murmura-t-il.

– Très bien, dit Mrs Tump. Pour moi, Adelle Hastings n'est rien de plus qu'une petite personne arrogante et affreusement snob. Elle fait ce qu'elle peut pour empoisonner l'existence de Byrl, et je n'ai aucune affection pour elle. Mais je sais qu'elle n'aurait pas commis ce meurtre. Je le dis comme je le pense, bien que ça ne m'empêche pas de la détester.

» Supposons, cependant, qu'elle soit accusée du meurtre. Il se peut que sa défense repose sur un alibi et qu'elle veuille prouver que Tidings est mort plus tard que midi, mais vous ne pourrez l'aider à le prouver sans travailler contre les intérêts de Byrl, puisque nous voulons démontrer que Tidings est mort avant 11 heures... Vous me comprenez, Mr Mason ?

– Oui.

Mrs Tump se leva.

– Très bien, Mr Mason. Je voulais simplement connaître votre position exacte. Je me moque de qui vous pouvez représenter, mais il y a une chose que nous devons soutenir ferme : Albert Tidings est mort avant la conclusion de cette vente... Au revoir, Mr Mason.

– Et voilà, dit Mason... Prenez votre manteau et votre chapeau, Della. Votre bloc aussi, à tout hasard. Nous allons rendre visite à la détentrice de l'autre moitié du billet.

– Vous connaissez son identité? demanda Della Street, surprise.

– Maintenant, oui, répliqua Mason, et environ trois jours trop tard... J'aurais dû comprendre beaucoup plus tôt, allons-y.

Ils traversèrent la ville dans la voiture de Mason.

– Mrs Tidings? demanda Della, incrédule, lorsqu'ils commencèrent à escalader une pente en lacets qui menait au lotissement sur les collines.

Mason acquiesça.

– Mais elle était à Reno. Elle est partie lundi. Il est impossible qu'elle soit venue vous voir dans la nuit de lundi à mardi!

– Elle seule a essayé de faire partir son alibi de lundi soir. Tous les autres ont présenté des alibis pour mardi après-midi.

– Et alors? demanda Della.

– Alors? s'exclama Mason. Mais la réponse est évidente. Elle savait donc qu'il avait été tué lundi soir.

– Ce sont là toutes les preuves dont vous disposez, patron? demanda Della.

– Ça suffit amplement, affirma Mason. Lorsqu'elle m'a dit qu'elle était partie pour Reno lundi midi et qu'elle avait roulé toute la nuit, j'aurais dû comprendre tout de suite.

– C'est donc elle la femme masquée?

– Oui.

– Vous croyez qu'elle va le nier?

– Certainement pas. J'espère seulement pouvoir discuter avec elle avant que le sergent Holcomb fasse ses propres déductions.

– Vous croyez que le sergent est en mesure de tirer des conclusions semblables aux vôtres?

– Oui.

Ils parvinrent au sommet de la montée. La maison dans laquelle avait été retrouvé le corps d'Albert Tidings resplendissait sous le soleil. Il semblait invraisemblable qu'un meurtre eût pu se commettre dans une aussi agréable demeure.

Mason et Della quittèrent la voiture et parcoururent la courte allée de ciment. L'avocat pressa le bouton de la sonnette. Instantanément la porte s'ouvrit, et Mrs Tidings, vêtue pour la ville, apparut sur le seuil du bungalow.

— Bonjour, Mr Mason, dit-elle. Il m'avait bien semblé vous reconnaître quand vous êtes descendu de voiture.

— Miss Street, Mrs Tidings, présenta Perry Mason.

— Enchantée, dit Mrs Tidings à Della. Donnez-vous la peine d'entrer.

Ils pénétrèrent dans la maison, et Mrs Tidings leur indiqua des sièges.

— Tout est encore sens dessus dessous, dit-elle avec une moue de femme d'intérieur surprise en plein ménage. L'enterrement a lieu cet après-midi. Il a été retardé jusqu'à ce que les experts en aient terminé avec... avec le corps... Savez-vous s'ils ont découvert quelque chose, Mr Mason?

— S'ils ont délivré le permis d'inhumer, répliqua Mason, c'est qu'ils estiment avoir terminé leurs recherches dans ce sens.

— Oui, c'est également ce que je me suis dit, mais j'ignore ce qu'ils ont trouvé.

— Ils ne vous ont rien dit?

— Pas un traître mot... Comprenez-moi, Mr Mason. Nous étions séparés et... franchement, je le haïssais, mais c'est tout de même un choc...

— Je comprends parfaitement votre attitude, Mrs Tidings, approuva Mason. Et, à ce propos, je suis venu vous demander de me remettre la seconde moitié du billet de dix mille dollars.

— Mais... que voulez-vous dire, Mr Mason?

Mason baissa les yeux vers son bracelet-montre.

– Chaque minute peut transformer un bon système de défense en un verdict de meurtre du premier degré, commenta-t-il. Si vous voulez perdre du temps à discuter, ne vous gênez pas. Vous aurez vous-même décidé de votre perte.

– Vous semblez bien sûr de vous-même, Mr Mason.

– Je suis sûr de moi-même, rectifia Mason. Quand vous êtes venue me voir en compagnie de Peltham, j'ai remarqué deux choses. Premièrement, que Peltham avait pris toutes ses précautions pour pouvoir me joindre à n'importe quelle heure du jour ou de la nuit, au cas où il aurait besoin d'un avocat. Deuxièmement, qu'en dépit de ces préparatifs votre visite avait été faite à l'improviste, et avec une hâte extrême. Votre masque suffisait à le prouver.

– Mon masque? répéta-t-elle, les yeux mi-clos.

– Un masque noir orné de paillettes, dit Mason. Un masque qui avait fait partie d'un travesti et que vous aviez conservé en souvenir de quelque bal costumé.

– Je ne vois pas ce que ça prouve, objecta-t-elle.

– Simplement ceci : Peltham avait soigneusement préparé sa visite, au cas où il arriverait quelque chose. Il a voulu vous protéger en gardant votre identité secrète, même vis-à-vis de moi. Il fallait donc un masque. Mais on ne se promène pas avec les poches bourrées de masques. Vous en aviez un cependant, probablement enfoui dans quelque malle à souvenirs, *chez vous*! Cela signifiait que l'événement imprévu qui avait rendu nécessaire la visite nocturne de Peltham et de sa compagne à mon bureau s'était produit chez cette femme, ou à une distance raisonnablement courte de sa maison. J'aurais dû comprendre cela à la seconde même où j'ai découvert ici le cadavre de Tidings.

Un instant, elle soutint le regard de l'avocat, étudiant silencieusement les lignes dures et résolues de son visage. Puis, sans prononcer une parole, elle ouvrit son sac à main, en sortit une petite enveloppe qu'elle déchira, et tendit à Mason la seconde moitié du billet de dix mille dolars. Della Street ne put réprimer un mouvement de surprise, mais Perry Mason ne broncha pas.

– Quand avez-vous appris la mort de votre mari?

– Eh bien! mais... quand je suis revenue de Reno. Vous étiez là, d'ailleurs...

D'un geste éloquent, Mason consulta sa montre.

– Mais c'est la vérité, Mr Mason!

– Vous aimiez Peltham, récapitula Mason. Il désirait vous protéger. Vous êtes venus me voir ensemble peu de temps après minuit. Vous avez fait tout ce qui était en votre pouvoir pour m'empêcher d'apprendre votre identité et la nature de l'affaire pour laquelle vous m'aviez engagé. Vous avez prétendu, ensuite, être partie lundi midi pour Reno. Selon toutes les apparences, vous étiez réellement à Reno mardi matin.

» Considérant le véritable aspect de toutes ces circonstances, il est évident que le cadavre d'Albert Tidings reposait ici, dans cette chambre, à l'heure même où nous bavardions dans mon bureau... Alors? Avez-vous tué vous-même, ou Peltham a-t-il tué Tidings?

– Ni l'un ni l'autre.

– Mais vous saviez qu'il était mort.

Elle hésita, et murmura enfin :

– Oui.

– Et c'est vous qui l'avez transporté dans cette chambre et déposé sur ce lit?

– Oui.

– Qui l'a tué?

– Sincèrement, Mr Mason, je n'en sais rien.

– Alors, dites-moi ce que vous savez.

– Je voulais divorcer, commença-t-elle. Je suis

144

très amoureuse de Bob. Bob avait de sérieuses raisons de croire qu'Albert puisait dans la caisse de la Fondation Hastings. Il essayait, avec la collaboration d'Adelle Hastings, de tirer les choses au clair. Il voulait qu'elle demande une vérification générale de la comptabilité. Si, étant données les circonstances, ma liaison avec Robert avait été découverte, il y aurait eu de sérieuses complications. Vous comprenez, Mr Mason, n'est-ce pas?

— Je comprends, dit Mason d'une voix monocorde.

— Albert avait essayé de se réconcilier avec moi. Je lui avais dit que c'était impossible. Bob et moi étions allés au théâtre. En revenant, nous avons trouvé la voiture d'Albert garée à l'extrémité de la route, sur la petite esplanade. Il pleuvait à verse. Albert était assis au volant. Il était inconscient et couvert de sang. Bob et moi sommes sortis sous la pluie, et avons essayé de discerner la gravité de sa blessure. Il avait reçu une balle dans la poitrine, mais le cœur battait encore. Nous l'avons à demi porté, à demi traîné jusqu'à la maison, où nous l'avons allongé sur le lit. J'ai couru au téléphone et j'étais sur le point d'obtenir la communication avec le docteur lorsque Bob m'a appelée. « Il est trop tard, Nadine, m'a-t-il dit. Il vient de mourir. »... Je suis revenue au lit. Il était bien mort. Il n'y avait plus rien à faire.

— Ensuite? l'encouragea Mason.

— Bob m'a dit qu'il ne voulait pas que je sois impliquée dans cette affaire, qu'il allait s'arranger lui-même pour disparaître de la circulation et qu'ainsi les soupçons se porteraient sur lui. Il m'a dit qu'il valait mieux que je parque ma voiture quelque part, dans un garage, et que je prenne un avion pour Reno, où j'ai quelques amis. Je n'aurais qu'à prétendre m'y être rendue en voiture. Il me suffisait de laisser la maison ouverte pour faire croire qu'Albert s'y était introduit pendant mon absence.

» Depuis, nous avons examiné la situation, et nous avons cru pouvoir conclure qu'ici, dans cette maison, le corps ne serait probablement pas découvert avant plusieurs jours, et que, dans l'intervalle, j'arriverais peut-être à me fabriquer un alibi irréfutable. Plus l'heure de la mort paraîtrait tardive, et plus mon alibi serait facile à établir. Il y avait de la boue sur ses souliers et des taches de boue sur le couvre-pieds. Ces taches pourraient aider les autorités à fixer l'heure de la mort. Nous lui avons donc ôté ses souliers et son imperméable, nous avons tiré la courtepointe de sous lui, et nous avons fait un paquet du tout.

– Qu'avez-vous fait, ensuite?

– J'ai conduit la voiture de Bob, et Bob a conduit celle d'Albert. Il ne voulait pas qu'elle soit découverte à proximité de la maison. Nous l'avons abandonnée, et Bob vous a téléphoné. Il m'avait dit que vous étiez le seul qui puisse me protéger, en cas de besoin, mais que si mon alibi tenait le choc, ou si la police ne découvrait pas le corps d'Albert avant quatre ou cinq jours, je n'aurais même pas besoin d'un avocat, étant donné que personne ne pourrait dire exactement quand Albert serait mort. Nous avions toujours agi avec la plus grande prudence. Tout le monde ignorait que Bob et moi étions... enfin... que nous nous aimions.

– Vous n'avez oublié qu'une chose, dit Mason.

– Laquelle?

– A la frontière d'Etat de la Californie, près du lac Topaze, il y a un poste de contrôle où ils examinent les papiers des gens qui franchissent la frontière, en particulier ceux des gens qui entrent dans l'Etat. Ils tiennent registre des numéros d'immatriculation... Vous êtes allée à Reno en avion?

– Oui.

– Et vous avez garé votre voiture quelque part?

– Oui.

– Où?

– Dans un petit garage où je la laisse quelquefois.

– Ils vous connaissent?

Elle sourit et dit :

– Pas sous le nom de Mrs Tidings.

– Sous le nom de Mrs Peltham?

– Oh non! Sous celui de Mrs Hushman.

– Qui est Mr Hushman? demanda Mason.

Elle rougit, baissa les yeux et répondit :

– Mr Peltham.

Une voiture passa en trombe devant la maison. Les pneus maltraités gémirent sur l'esplanade. Della Street se leva, gagna la fenêtre et jeta un coup d'œil au dehors.

– Une voiture de police, dit-elle à Perry Mason.

Les yeux de Mason se rétrécirent.

– Mrs Tidings, dit-il rapidement. Ne faites aucune déclaration. Refusez de répondre à toutes les questions qui vous seront posées.

– Mais ils ne peuvent rien contre moi, Mr Mason, même si je suis allée à Reno en avion. J'y étais réellement à 5 heures, mardi matin, et le témoignage du secrétaire d'Albert montre qu'Albert était encore vivant à midi...

Des pas résonnèrent sur le ciment de l'allée.

– Vous saviez que Mattern allait agir ainsi? demanda Mason.

– Non. Mais c'est une veine pour nous...

– Il n'y a qu'un détail qui cloche, Mrs Tidings, lui rappela Mason. Ce n'est pas la vérité. Et chaque fois qu'un système de défense s'appuie sur des mensonges, il risque de s'effondrer en plein tribunal. Ce n'est pas ainsi que je défends mes clients. Je cherche la vérité, et je construis mon système défensif sur une base solide... Si vous avez tué votre mari, je veux que vous me le disiez.

– Je ne l'ai pas tué.

Un long coup de sonnette déchira le silence.

– Dieu vous vienne en garde, si vous mentez encore, dit Mason.

– C'est la vérité, Mr Mason. Je vous ai menti, auparavant. Mais, cette fois, c'est la vérité.

– Qui l'a tué? insista Mason.

– Je n'en ai pas la moindre idée, Mr Mason.

La porte gémit sous la poussée impérative de la loi.

– O.K.! dit Mason. Allez ouvrir.

Mrs Tidings traversa la pièce et ouvrit la porte.

Le sergent Holcomb entra au pas de charge.

– Ah! vous êtes là, tous les deux! vociféra-t-il. Qu'est-ce que vous fabriquez ici?

– Je bavardais avec ma cliente, répondit Mason, souriant.

– Comment saviez-vous que j'allais venir?

– Je ne le savais pas, protesta Mason.

Le sergent Holcomb se planta devant Mrs Tidings.

– A nous deux, Mrs Tidings, dit-il. Les registres du poste de quarantaine montrent que vous n'êtes pas allée en voiture à Reno. Pendant toute la durée de votre absence, votre voiture est restée dans un garage d'East Central Avenue, où ils vous connaissent sous le nom de Mrs Robert Hushman. Ils ont aperçu votre prétendu mari, Mr Hushman; nous leur avons montré une photo de Robert Peltham, qu'ils ont identifiée comme étant celle de Robert Hushman. Ils ont également identifié une photo de vous... Et maintenant, qu'avez-vous à répondre?

– Je puis répondre à cette question, proposa Mason.

– Je ne vous demande rien! aboya le sergent. C'est à elle que je m'adresse.

– Je n'ai rien à répondre, dit Mrs Tidings.

– Je lui ai défendu de répondre à aucune question, intervint Mason.

– Si elle ne répond pas, je l'emmène au central, gronda Holcomb, et c'est au D. A. qu'elle devra répondre. Et si elle refuse de répondre au D. A., elle va être inculpée de meurtre au premier degré.

Mason écrasa soigneusement le bout de sa cigarette.

– Mettez votre chapeau et suivez ces messieurs, Mrs Tidings, dit-il.

XI

– Pourquoi ne lui avez-vous pas communiqué les dernières nouvelles, patron? demanda Della lorsqu'ils roulèrent à nouveau vers la ville.

– Au sujet de la découverte du manteau de Peltham dans son automobile?

– Oui.

– Holcomb s'en chargera.

– Elle va subir un choc terrible, patron... Vous auriez dû lui dire que vous aviez des raisons de croire qu'il s'agissait d'un coup monté, pour qu'elle ne s'en préoccupe pas outre mesure.

– Non, dit Mason.

– Pourquoi, patron?

– A l'origine, mon plan était destiné à Adelle Hastings. Je voulais obliger Peltham à se manifester, et je m'étais dit qu'elle parlerait si elle le croyait mort.

– Voilà le danger! triompha Della. Si Mrs Tidings le croit mort, peut-être parlera-t-elle.

– Qu'elle parle donc, dit philosophiquement

Mason. Si Peltham se cache derrière ses jupes, il est temps que quelqu'un l'oblige à en sortir.

– Vous croyez qu'il se cache derrière ses jupes? demanda Della.

– Je n'en sais rien. Mais mettez-vous bien ceci dans la tête, Della. Un avocat qui agirait comme je le fais et tenterait de présenter au tribunal une affaire basée sur de faux témoignages serait rayé du barreau en un mois. Et si je prends bien souvent de gros risques, c'est pour pouvoir me permettre de ne spéculer que sur la vérité. Cette affaire me tracasse... Je ne comprends pas encore tout ce qui s'est passé, et il faut que je sache tout ce qui s'est passé...

» Je crois le savoir, mais je n'ai pas encore de vérité pour m'en forger une arme suffisamment efficace... Enfin, trêve d'atermoiements. Nous allons monter chez Adelle Hastings.

En dehors d'une certaine dureté d'expression, Adelle Hastings ne laissa transparaître aucune émotion lorsqu'en ouvrant la porte elle reconnut l'avocat. Mason nota mentalement le masque glacial derrière lequel elle cachait ses véritables sentiments, mais il fit les présentations comme s'il n'avait rien remarqué.

– Miss Street, ma secrétaire. Miss Adelle Hastings.

Adelle Hastings s'inclina avec une courtoisie pétrifiée.

– Entrez, dit-elle.

Lorsqu'ils furent assis, elle fit face à Perry Mason, et le masque glissa un instant de son visage.

– Pourquoi m'avez-vous envoyé ce télégramme? demanda-t-elle, les yeux étincelants.

– Parce que j'avais besoin des renseignements en question, répliqua Mason.

– Vous êtes sûr de ne m'avoir pas tendu un nouveau piège? gronda-t-elle.

– Un piège? questionna Mason, apparemment dérouté par le raisonnement de son interlocutrice.

Elle esquissa un geste d'impatience et pinça les lèvres.

– Pouvez-vous, demanda Mason, me dire à quelle heure, vous avez communiqué hier soir avec Mr Peltham?

– Non.

– Le fait que vous ayez communiqué avec lui intéressera beaucoup la police.

– La p... la police a-t-elle retrouvé... son corps?

– Je ne sais pas, répondit Mason. Je ne suis pas en très bons termes avec la police. Je prends mes informations dans le journal, tout comme vous.

Ses doigts s'entrelacèrent sur ses genoux, mais elle ne donna aucun autre signe d'émotion.

– Il est évidemment vital pour tout le monde que le corps soit rapidement retrouvé, exposa Mason.

Elle n'émit aucun commentaire.

– La police possède les moyens de faire parler les gens, continua l'avocat. La police sait se montrer insistante, et extrêmement désagréable. Je suppose que vous le savez?

– Est-ce une menace? questionna-t-elle.

Mason soutint son regard dédaigneux.

– Oui, dit-il.

– Je ne suis pas facile à effrayer, riposta-t-elle.

Mason tira de sa poche son étui à cigarettes.

– Ça ne vous dérange pas que je fume? demanda-t-il.

L'espace d'une seconde, elle mordit sa lèvre inférieure, puis sourit gracieusement et dit :

– Excusez-moi, Mr Mason. J'aurais dû penser à vous en offrir. J'en ai là, dans cette boîte, et...

– Ne vous dérangez pas. Acceptez plutôt une des miennes.

Elle se servit. Della Street l'imita. Mason leur

tendit une allumette, s'installa confortablement sur sa chaise et dit :

— J'attends.

Elle ouvrit la bouche, hésita et, soudain fit explosion.

— Faut-il toujours que vous dominiez ceux avec lesquels vous entrez en contact ? Ne pouvez-vous au moins respecter l'amour-propre et la dignité de vos interlocuteurs ? Vous m'avez tellement humiliée, lors de notre première rencontre, que j'en aurais pleuré, mais maintenant...

— Il faut voir les choses comme elles sont, miss Hastings, dit Mason calmement. Vos rapports avec les hommes se sont confinés jusqu'alors à des mondanités où les femmes sont traitées avec toutes sortes d'égards et de ménagements. Vos rapports avec moi ont trait à des questions de vie ou de mort. Je n'ai ni le temps ni la patience de sacrifier à la galanterie.

— Et alors ?

— Et alors, dit Mason, je veux savoir quels contacts vous avez eus avec Robert Peltham, de quels arrangements vous avez convenu, de quelle manière vous avez communiqué avec lui, et dans quelles limites il vous a donné carte blanche.

— Pourquoi supposez-vous qu'il m'ait donné carte blanche ?

— On ne reçoit plus de messages d'un homme mort, dit Mason.

— Vous croyez donc qu'il est mort ?

— Les découvertes de la police semblent l'indiquer.

— Il était bien vivant hier soir à 9 heures.

— Vous en êtes sûre ?

— Oui.

— Vous lui avez parlé ?

— Oui.

Mason se retourna vers Della Street.

152

— Il va falloir que vous appeliez le sergent Holcomb de la Brigade criminelle, Della, dit-il. Vous lui
annoncerez que nous avons trouvé un témoin qui
sait quelque chose au sujet de Robert Peltham.

— Vous ne ferez pas ça, dit Adelle Hastings.

— Pourquoi?

— Ce ne serait pas loyal envers Mr Peltham. C'est
lui qui vous a engagé.

— Pas pour le protéger, spécifia Mason, mais pour
protéger une femme.

— Qui était cette femme?

— Même à moi, Mr Peltham a caché son identité.

— Je comprends maintenant à quoi vous faisiez
allusion lorsque vous laissiez entendre que j'avais
quelque chose à vous remettre.

— Ah, ah? dit poliment Mason.

— Dois-je appeler le sergent Holcomb immédiatement, patron? demanda Della.

— Je vous en prie, dit-il.

— Puis-je me servir de votre téléphone? demanda
Della à Adelle Hastings avec une courtoisie raffi-
née.

— Non, répliqua miss Hastings. Tout ceci n'intéresse pas la police.

— Vous trouverez un drugstore au coin de la rue,
Della, intervint Mason.

Elle se leva, déposa sa cigarette dans un cendrier,
murmura : « Excusez-moi » et ouvrit la porte.

Elle était déjà dans le corridor et s'apprêtait à
repousser le battant.

— Arrêtez! cria Miss Hastings d'une voix rauque
d'émotion contenue.

Della Street s'arrêta.

— Revenez, dit Adelle Hastings, je vais répondre
aux questions de Mr Mason.

Della Street réintégra l'appartement, referma la
porte et s'y adossa, la main toujours posée sur la

clenche. Adelle Hastings tenta sans grand succès de refouler ses larmes.

– Vous ne donnez même pas à vos adversaires la possibilité de sauver la face, reprocha-t-elle à Perry Mason.

– Je suis désolé, miss Hastings, répondit l'avocat. Seuls les résultats m'intéressent.

– Je vais vous dire la vérité, reprit Adelle Hastings avec lassitude. Je n'ai pas le choix. Vous m'avez réduite à merci. Robert Peltham est venu me voir il y a environ quinze jours. Il m'a dit qu'il était certain que Tidings avait puisé dans le fonds de subvention de l'hôpital. Je ne l'ai pas cru, tout d'abord, mais il m'a cité des faits précis. Il m'a dit que pour des raisons personnelles il lui était impossible de prendre l'offensive et m'a demandé de m'en charger.

– Vous avez accepté?

– J'ai mené une enquête préliminaire.

– Et ensuite?

– Eh bien!... lundi soir... mardi matin, pour être exacte, Mr Peltham m'a appelée au téléphone. Il m'a dit qu'il devait absolument me voir tout de suite, pour une affaire de la plus haute importance.

– Vous aviez alors déjà exigé la vérification des comptes de Tidings?

– Oui.

– Et qu'est-il arrivé? questionna Mason.

– Peltham m'a dit qu'Albert Tidings avait été assassiné, et que les circonstances du meurtre pousseraient certainement la police à l'accuser. Il avait l'air bouleversé.

– Vous a-t-il parlé d'une femme?

– Pas directement, mais j'ai eu la nette impression qu'il n'était pas seul au moment de...

– Au moment du meurtre de Tidings?

– Ce n'est pas ce que je voulais dire.

– Ensuite?

– Il m'a dit que le corps de Tidings ne serait sans doute pas découvert avant un certain temps, qu'en aucune circonstance je ne devais révéler à quiconque la nouvelle de sa mort, que je devais continuer à agir comme s'il n'était pas mort, et qu'il était vital, pour lui, que les escroqueries de Tidings fussent connues avant que le public soit informé de son assassinat.

– Vous a-t-il dit pourquoi?

– Non.

– Que lui avez-vous répondu?

– Je lui ai dit que je ferais ce qu'il me demandait de faire. J'avais confiance en lui.

– Il n'a rien ajouté?

– Il m'a dit de me ménager un alibi en cas de besoin.

– En d'autres termes, il s'attendait à ce que vous fussiez accusée du meurtre?

– Je n'en sais rien. Il ne me l'a pas dit. Et je ne le lui ai pas demandé.

– Mais vous aviez parfaitement compris, n'est-ce pas?

Elle lui jeta un regard de défi.

– Oui, admit-elle.

– C'est mieux, approuva Mason. Et vous vous êtes arrangée pour rester en communication avec lui, n'est-ce pas? Comment?

– Mr Peltham n'a pas quitté la ville. Il s'est inscrit dans un petit hôtel sous le nom de Mr Bilback. Je suis restée en contact permanent avec lui.

– Qu'est-il arrivé, hier soir?

– Je suis allée le voir.

– Il était dans sa chambre?

– Oui.

– Lui avez-vous téléphoné après avoir lu les journaux de ce matin?

– Bien entendu. Ils m'ont informé qu'ils n'avaient

pas vu Mr Bilback ce matin, et qu'il n'était pas dans sa chambre.

– Vous vous êtes donné bien du mal pour me laisser patauger dans cette affaire, lui reprocha Mason.

– J'essayais de protéger Mr Peltham, dit-elle. Qu'auriez-vous fait à ma place?

– Vous n'aviez pas d'autre motif?

– Non.

– Lundi soir, déclara Mason, Mr Tidings avait rendez-vous avec une femme. Une femme qui était en mesure de lui causer de gros ennuis. Lorsqu'il a quitté son bureau, il était pressé de courir à ce rendez-vous.

Le visage de la jeune femme n'était plus, à nouveau, qu'un masque figé.

– Parlez-nous de ce rendez-vous, miss Hastings, suggéra Mason.

– J'ignore de quoi vous voulez parler.

– Je vous avertis, miss Hastings, et je vous avertis pour la dernière fois. Vous avez exactement trente secondes.

Elle attendit une dizaine de secondes et balbutia d'une voix étranglée :

– Je l'ai vu.

– Où?

– Ici.

– Non, trancha Mason. Pas ici, mais sur l'esplanade, à proximité du bungalow de Mrs Tidings. Il vous avait demandé de l'y attendre. Il ne voulait pas être vu chez vous ou allant chez vous. Vous l'aviez déjà accusé d'avoir détourné une partie des fonds de subvention de l'hôpital Hastings. Il a dit que si vous vouliez bien le rencontrer à l'endroit convenu, il vous expliquerait tout.

Elle secouait désespérément la tête.

– Où l'avez-vous rencontré? demanda Mason.

– Ici.

Une fois encore, Mason baissa les yeux vers sa montre-bracelet.

— Trente secondes, répéta-t-il.

Le silence devint insupportable. Au bout d'une vingtaine de secondes, Adelle Hastings respira profondément, comme si elle se fût apprêtée à parler. Puis elle s'agita sur son siège et pinça obstinément les lèvres.

Mason se leva.

— Venez, Della, dit-il.

Il s'effaça pour la laisser sortir la première et se retourna vers Adelle Hastings, rigide et muette sur sa chaise.

— Je vous ai donné votre chance, dit-il.

Elle ne répondit pas. Mason claqua la porte derrière lui.

XII

Mason et Della Street entrèrent par la porte du bureau privé.

— Poussez une pointe jusqu'au bureau de réception, Della. Voyez s'il y a quelqu'un et dites à Gertie que je suis rentré, mais que je n'y suis pour personne.

Della Street disparut, et revint sur la pointe des pieds, l'index en travers des lèvres.

— Il y a un homme dans la bibliothèque, chuchota-t-elle.

— Qui est-ce? demanda Mason, surpris.

— Je n'en sais rien. Il n'a pas voulu donner son nom à Gertie. Il a simplement dit qu'il devait vous voir et qu'il ne pouvait pas attendre dans le bureau de réception. Elle a insisté, mais il s'est introduit dans la bibliothèque, et lui a dit d'aller remuer ses paperasses. Gertie était plutôt vexée, mais elle dit qu'il a l'air de quelqu'un de très bien.

— Ça ne peut être que Peltham, Della, dit Mason.

Il traversa la pièce, ouvrit la porte de la bibliothèque et dit :

— Bonjour, Peltham. Entrez donc.

Peltham, qui tirait nerveusement sur une cigarette, bondit hors de son fauteuil et rejoignit Mason en s'écriant :

— Que diable est-il arrivé ? Qui a bien pu s'emparer de mon manteau et de ma voiture et...

— Vous avez mis du temps à réagir, Peltham, coupa Mason.

— Que voulez-vous dire ?

— Il fallait que je vous voie. Vous n'avez pas marché. Je n'avais pas le choix des moyens.

Peltham écarquilla les yeux.

— Vous voulez dire que...

— Je vous présente Della Street, ma secrétaire, continua paisiblement Mason. Je n'ai pas de secrets pour elle. Entrez et asseyez-vous. Pourquoi ne vouliez-vous pas venir causer avec moi ?

— Parce que je ne le jugeais pas opportun.

— Pourquoi n'avez-vous pas joué cartes sur table, lors de votre première visite ?

— Je l'ai fait.

— C'est vous qui le dites. Vous et votre amie masquée. Vous et vos allusions mystérieuses à ce qui ne tarderait pas à se produire ! Pourquoi diable ne m'avez-vous pas dit que Tidings était mort ?

— Parce que je ne le savais pas.

— Voilà que ça recommence, soupira Mason. Et pourquoi ne m'avez-vous pas dit que je devrais représenter Mrs Tidings ? J'aurais pu travailler utilement au lieu de tâtonner dans le brouillard.

— Vous vous en êtes fort bien tiré, protesta Peltham.

– C'est encore vous qui le dites. Mais écoutez-moi, maintenant. Le temps presse. Je veux que vous suiviez exactement les instructions que je vais vous donner... Vous êtes mort, comprenez-vous?

– Mais...

– Vous êtes mort. Vous avez été assassiné.

– Vous ne me comprenez pas, Mason! s'impatienta l'architecte. Je voulais que vous protégiez Mrs Tidings.

– Je suis en train de la protéger, trancha Mason. Maintenant!

– Vous ne la protégiez pas auparavant?

– Comment l'aurais-je fait? Je courais après des feux follets. Pourquoi m'avez-vous dit que je pouvais représenter Byrl Gailord?

– Parce que vous le pouviez. Je suis au courant de ses affaires. Tidings administrait ses biens. Et de quelle façon!

– Comment se fait-il que vous soyez au courant de ses affaires?

– Par l'intermédiaire de Mrs Tump. Mrs Tump a été pour elle une sorte de marraine. Elle l'a sortie de Russie et a fait ce qu'elle a pu pour elle. Puis Byrl a été frauduleusement adoptée et...

– Et vous ne pensiez pas que les intérêts de Mrs Tidings et ceux de Byrl Gailord puissent être diamétralement opposés?

– Non.

– Vous connaissez personnellement Byrl Gailord?

– Non. Je ne la connais qu'à travers les paroles de sa marraine... Mrs Tump.

– Alors, vous ignoriez que Byrl était une arriviste, qu'elle essayait de se faire sa place dans le monde d'Adelle Hastings, et qu'elle a jeté son dévolu sur un jeune homme auquel miss Hastings voue un sentiment sans doute plus sincère.

– Byrl Gailord! s'exclama Peltham. Mais c'est

impossible! Adelle Hastings n'a jamais prononcé un seul mot à ce sujet.

— Adelle Hastings, expliqua sauvagement Mason, est la dernière personne au monde à faire partager ses soucis à qui que ce soit, et vous êtes la dernière personne au monde à laquelle elle les aurait confiés. Mais, trêve de discussions. Tout ça appartient au passé. Voyons le présent. Qu'est pour vous Nadine Tidings?

— Elle est tout pour moi! déclara Peltham avec un regard de défi.

— Et Adelle Hastings?

— Eh bien? mais... une amie, et rien de plus. C'est une fille très chic, et que j'admire beaucoup, mais c'est absolument tout.

— Elle connaît vos sentiments envers Mrs Tidings?

— Non. Personne ne les connaît. Je me suis donné beaucoup de mal pour que personne ne soit au courant.

— Pour quelle raison? demanda Mason.

— Parce que Tidings aurait sauté sur l'occasion. Il aurait prétendu que toute cette histoire de vérification de comptes, et ses escroqueries mêmes, n'étaient qu'autant de coups montés par moi pour le faire jeter en prison et épouser sa femme.

— Et vous avez été assez idiot pour croire que votre mascarade protégerait Mrs Tidings?

— Mais elle l'a protégée. Vous ne pouvez pas le nier.

— Non, dit Mason. Elle ne l'a pas protégée. La police l'a arrêtée il y a environ une heure, sous l'inculpation de meurtre au premier degré.

— Mais ils ne peuvent rien contre elle. Elle a un excellent alibi!

— Voilà où vous commencez à vous fourrer non plus le doigt, mais tout le bras dans l'œil, gouailla Mason. Vous n'avez pas été les seuls à connaître la mort de Tidings et l'endroit où il se trouvait. Et à chaque fois que quelqu'un en faisait la découverte, il se mettait illico à se fabriquer un superbe alibi cousu main, garanti sur facture... Le district attorney est en possession de tous ces alibis, qui constituent des indices mathématiques. Personne, en dehors du meurtrier de Tidings, ne sait exactement quand Tidings a été tué. Chacun s'est imaginé qu'il avait été tué peu de temps avant qu'il, ou qu'elle l'apprenne... Il suffit au district attorney de choisir les alibis qui couvrent le plus long laps de temps pour se rapprocher de la solution. L'alibi de Mrs Tidings part du lundi après-midi. Je vous laisse le soin de conclure vous-même.

Peltham fronça les sourcils.

– Devant le jury, le district attorney tiendra à peu près ce langage : Mr Peltham, vous étiez en secret l'amant de Nadine Tidings. Vous aviez des rendez-vous clandestins, au cours desquels vous assumiez le nom de Mr Hushman, tandis qu'elle-même se faisait passer pour Mrs Hushman. Vous...

– Bon dieu! s'écria Peltham. Qui est au courant de tout ça en dehors de vous-même?

– Le district attorney, riposta cruellement Mason. Pour qui le prenez-vous? Pour un imbécile?

Atterré, Peltham le regarda sans mot dire.

– Tidings vous a découvert, reprit Mason. Il...

– Ce n'est pas vrai! Je jure que...

– Aucune importance! Je vous donne simplement un aperçu de ce que le district attorney dira au jury. Vous aviez rendez-vous avec Nadine Tidings dans sa propre maison. Albert Tidings, légalement, était toujours son mari. Vous avez décidé de le tuer pour débarrasser Nadine Tidings d'un mari qui ne voulait pas divorcer, pour lui fermer la bouche, protéger votre réputation et celle de votre maîtresse, et pouvoir enfin l'épouser.

– Je jure que ce n'est pas vrai. Sur tout ce que j'ai de plus cher, je jure que...

– Gardez ça pour le jury, dit Mason. J'ai accepté de me charger de cette affaire, et je boirai la coupe jusqu'à la lie. J'espère que Nadine Tidings est innocente, mais je la représenterai de toute manière. Je m'y suis engagé, et j'ai l'habitude de respecter ma parole... Mais si quelqu'un parvient encore à me faire travailler dans le brouillard, c'est que je serai mûr pour l'asile d'aliénés. Pour un billet de dix mille dollars, je me suis fourré dans la gueule du loup! Vous aussi. Et Nadine Tidings également. A présent, il faut que nous en sortions. La première chose à faire est de laisser le district attorney croire en votre mort... pour que le meurtrier y croie également. Vous n'avez pas encore compris?

– Non.

– Ça ne fait rien, dit Mason. Il n'est pas utile que vous compreniez. Je vous ai assassiné, nom d'un chien, et tout ce que je vous demande c'est de ne pas ressusciter avant quelque temps.

Puis il se tourna vers Della Street.

– Della, dit-il, cet homme est mort. Enterrez-le quelque part où je sois sûr de le retrouver.

Le téléphone sonna. Mason fit un geste de contrariété. Della décrocha le récepteur et dit :

– Ne nous sonnez pas, Gertie, à moins qu'il s'agisse... Oh! c'est le cas, dites-vous?

Elle tendit l'appareil à Perry Mason.

– Paul Drake sur la ligne, annonça-t-elle. Il dit que c'est urgent.

Mason saisit le récepteur.

– Pas le temps de bavarder, Perry, dit Paul Drake. Vous êtes refait.

– Quoi?

– Vos propres clients vous ont mis dans le trou, Perry. Ils vont tous nous traîner devant le district attorney. Ils... Les voilà, Perry!

Mason perçut le choc brutal d'un récepteur brusquement raccroché.

– Les flics sont dans l'immeuble, dit-il à Della Street. Il va falloir que vous escamotiez Peltham pendant qu'ils s'occuperont de moi...Tenez-vous tous les deux près de la porte du corridor... Dès que vous entendrez les flics entrer, vous vous esquiverez.

Il y eut un bruit de lutte dans le bureau de réception, et la voix de Gertie s'éleva, haletante.

– Vous n'avez pas le droit d'entrer ici. Mr Mason ne veut pas être dérangé...

Mason fit signe à Della Street. Elle saisit le bras de Peltham, l'entraîna jusqu'à la porte du corridor qu'elle ouvrit toute grande.

– Allez-y, chuchota Mason.

Della Street et Peltham se glissèrent dans le corridor, et Della referma doucement la porte derrière elle.

La porte du bureau s'entrouvrit, se referma, s'ouvrit complètement.

– Fichez-nous la paix, espèce de virago! gronda le sergent Holcomb en repoussant une Gertie quelque peu débraillée.

L'avocat leva les yeux de l'ouvrage juridique qu'il paraissait étudier.

– Que signifie cette intrusion? demanda-t-il.

– Elle signifie que pour une fois vous avez navigué trop près du vent, Mason! triompha le sergent Holcomb. Et cette fois, vous avez fait naufrage!

– Vous devenez poète, en vieillissant, plaisanta calmement Mason. Mais de quoi voulez-vous parler?

– J'ai mes instructions, Mason. Ou vous me suivez sans protester jusqu'au bureau du district attorney, ou je vous fais immédiatement coffrer.

– Qu'est-ce que c'est que ce chantage? s'écria Mason, indigné.

– Il n'y a aucun chantage là-dedans, ricana le sergent. Personnellement, j'espère que vous allez refuser de me suivre. Je ne demande pas mieux que de vous arrêter pour vous fourrer en taule.

Mason fronça les sourcils, les yeux dans les yeux du sergent Holcomb et calculant mentalement combien de temps il faudrait à Della pour descendre avec Robert Peltham et sortir par l'entrée de service.

– Vous avez un mandat d'arrêt? s'informa-t-il.

Un sourire triomphant illumina le visage du sergent.

– Voilà ce que j'espérais vous entendre dire, ronronna-t-il... Non, Mr Mason, je n'ai pas de mandat d'arrêt, mais j'en aurai un dans dix secondes.

Il s'empara du récepteur téléphonique, aboya :

– Demandez-moi le bureau du district attorney!

Mason haussa les épaules :

– O.K.! dit-il. Je vous suis.

– Trop tard! goguenarda le sergent Holcomb.

– Ce n'est pas mon avis, dit froidement Mason. Je n'ai pas refusé de vous accompagner. Je vous ai simplement demandé si vous aviez un mandat d'arrêt.

A regret, le sergent raccrocha.

– Très bien, Mason, dit-il. Allons-y.

Mason enfila son manteau et prit son chapeau avec une lenteur judicieusement calculée.

– J'aurais quelques instructions à dicter à ma secrétaire-standardiste, déclara-t-il.

– En vitesse! ordonna Holcomb.

Mason appela Gertie. Encore essoufflée, elle entra dans le bureau en maintenant fermé son corsage que ses luttes avec les représentants de la loi avaient privé d'une partie de ses boutons.

– Gertie, ces messieurs m'emmènent au bureau du district attorney aux fins d'interrogatoire. Prenez quelques notes sur les dossiers en cours.

– Et en vitesse! répéta le sergent.

Gertie le foudroya du regard.

– Affaire Smith contre Smith, commença Mason. Arrangez un rendez-vous avec le cadet et prenez note de sa déposition.

Perplexe, Gertie fronça les sourcils. Puis, elle se rendit compte que Della Street n'était pas dans le bureau, et sachant parfaitement que les archives du cabinet ne contenaient aucun dossier Smith contre Smith, elle répondit, dans un éclair de compréhension soudaine :

– Oui, Mr Mason. Rien d'autre?

– Si. Dans l'affaire Raglund contre Jones, le moment est venu de déposer une plainte contradictoire. Au cas où je ne reviendrais pas à temps pour le faire moi-même, demandez une prolongation du délai imparti...

– Oui, Mr Mason. Et si cette prolongation m'est refusée?

– Dans ce cas, il vous faudra obtenir une ordonnance signée par le président du tribunal.

– Mais comment devrai-je m'y prendre?

– Expliquez simplement les circonstances au président du tribunal, dit Mason à Gertie. Enfin, dans l'affaire Coleman contre Wiltfong, vous voudrez bien retourner la provision versée par Mr Coleman en lui expliquant que je ne pourrai pas me charger de son affaire. Ceci, au cas où je ne serais pas rentré à 5 heures...

– Dites donc, Mason, est-ce que vous n'êtes pas en train d'essayer de gagner du temps? gronda le sergent en regardant attentivement l'avocat.

– C'est tout, Gertie, coupa Perry Mason. Messieurs, je suis à votre entière disposition.

XIII

Perry Mason suivit le sergent Holcomb dans la salle d'attente du district attorney. Le policier en civil fermait la marche. Assis à côté d'un second policier, Drake se leva à l'entrée de l'avocat.

– Salut Paul, dit Mason, affectant la surprise. Qu'est-ce que vous fabriquez ici?

– Je n'en sais rien, répliqua le détective. Personne ne me l'a encore dit.

– Allons-y, Mason, intervint le sergent Holcomb. Le district attorney vous attend.

Impulsivement, Drake tendit la main à l'avocat.

– Perry, déclara-t-il, quoi qu'ils puissent dire, je veux que vous sachiez que je suis de votre côté. Personne ne me fera jamais croire qu'il y a quelque chose d'irrégulier dans votre façon de travailler.

– Merci, Paul, dit Mason.

Les deux hommes se serrèrent la main, et l'avocat sentit, dans la paume de Paul, un petit morceau de papier plié.

– Allons-y, répéta Holcomb avec impatience.

Glissant d'un geste naturel sa main droite dans la poche de son pantalon, Mason suivit le sergent.

– Par ici, annonça Holcomb.

Ils parcoururent un long corridor qu'encadraient des bureaux. A l'extrémité du corridor, un battant d'acajou portait ces simples mots : « HAMILTON BERGER, District Attorney ».

Hamilton Berger était assis derrière son bureau. C'était un individu au cou de taureau, aux épaules énormes, qui donnait l'impression de posséder une grande force physique, et la ténacité mentale d'un bouledogue.

– Comment allez-vous, Mason? dit-il. Prenez cette chaise.

Mason acquiesça et jeta un regard circulaire. Assis à une petite table, un greffier-sténographe attendait, son bloc-notes ouvert devant lui. Carl Mattern était assis contre le mur, vivante incarnation des vertus civiques. Près de lui, Mrs Tump fusillait Mason du regard, et Byrl Gailord, qui avait dû pleurer, levait vers lui des yeux tachés de rimmel.

– O.K.! dit Mason. De quoi s'agit-il?

– J'ai assez de renseignements pour justifier votre arrestation, exposa Hamilton Berger, mais en raison de votre qualité d'avocat, et parce que vous avez joui jusqu'à présent d'une position honorable, j'ai décidé de vous donner l'occasion d'expliquer vos actes.

– Merci, dit Mason avec une courtoisie corrosive.

– Je puis ajouter, continua Berger, qu'à mon humble avis cette position était surtout imputable à la chance. Il y a longtemps que je vous ai prévenu qu'un jour ou l'autre vos méthodes vous attireraient des ennuis.

– Je crois que vous pouvez vous épargner ce sermon, coupa Mason. Mes méthodes et ma moralité sont les miennes, et j'en accepte l'entière responsabilité.

– Asseyez-vous sur cette chaise, Mason, répéta Hamilton Berger.

Mason s'assit entre le bureau du district attorney et la table du greffier-sténographe.

– Je vous préviens, Mason, qu'il sera gardé trace de cet interrogatoire et que tout ce que vous direz pourra être utilisé contre vous. Ne faites aucune déclaration si vous ne le désirez pas. Si vous faites une déclaration quelconque, ce sera une déclaration volontaire effectuée sans aucune contrainte ni promesse de ma part.

– Je connais les formules, dit Mason. Cessez de tourner autour du pot.

– Mr Mattern, dit Berger. Je veux que vous résumiez devant Mr Mason les faits que vous m'avez rapportés.

Mattern leva vers Mason un regard froidement accusateur.

– J'étais, de son vivant, le secrétaire de Mr Tidings, commença-t-il d'une voix ferme. Mardi matin, Mr Mason est venu me voir à mon bureau. Il m'a dit que Mr Tidings avait eu un accident. Il ne m'a pas dit quelle sorte d'accident. Il m'a dit simplement que Mr Tidings était mort, que lui-même représentait Byrl Gailord, que Byrl Gailord était la bénéficiaire d'un compte de tutelle confié à l'administration de Mr Tidings, que d'après ses renseignements Mr Tidings aurait eu l'intention d'acheter une tranche importante d'actions de la Compagnie de Prospection de l'Ouest, qu'il pensait que cette opération était infiniment souhaitable dans l'intérêt de sa cliente, et qu'il désirait, en conséquence, voir entrer cette opération dans le cadre de celles réalisées par Tidings pour le compte de Byrl Gailord.

– A-t-il dit qu'il serait également souhaitable pour l'un quelconque de ses autres clients de faire apparaître aux yeux de la police que la mort de Tidings s'était produite beaucoup plus tard que dans la réalité ? questionna Hamilton Berger.

– Pas absolument, répondit Mattern, sourcils froncés comme s'il se fût forcé de retrouver dans sa mémoire les mots exacts employés par Mason. Je vous ai déjà dit textuellement ce dont je pouvais me souvenir, Mr Berger.

– Eh bien ! dites-le encore une fois, riposta le district attorney.

– Il a dit que des raisons qu'il serait beaucoup trop long de m'exposer rendaient souhaitable, pour ses clients, que l'heure du décès de Tidings ne soit pas fixée avant mardi midi.

– A-t-il dit mon ou mes clients? demanda Berger.

– Mes clients. Je m'en souviens très distinctement, affirma Carl Mattern.

– Mais il n'a pas précisé s'il voulait parler de miss Gailord ou d'un ou plusieurs autres de ses clients?

– Non. Il a juste employé le mot au pluriel : mes clients.

– Très bien, dit Berger. Continuez.

Mason fit face à la froide hostilité des yeux de Mrs Tump, à l'accusation silencieuse du regard de Byrl Gailord, et tira son étui à cigarettes de sa poche. Il en choisit une, rangea son étui, et, en même temps qu'une boîte d'allumettes, prit dans la poche de son pantalon le petit morceau de papier que Drake lui avait subrepticement remis. Il craqua une allumette et, tout en allumant sa cigarette entre ses deux mains accouplées, lut le message de Paul Drake inscrit en capitales sur une étroite bande de papier. « Freel enregistré à l'*Hôtel Saint-Germain*, sous le nom de Herkimer Smith, Shreveport, Louisiane », disait ce message. Mason prit l'allumette dans sa main gauche et, tandis que Mattern reprenait sa déposition, la jeta dans un cendrier proche et remit posément sa main droite dans la poche de son veston.

– Mr Mason, continuait cependant Mattern, m'a dit qu'en vertu de la loi sur la fonction d'agent, je n'avais plus, étant donnée la mort de Mr Tidings, aucune autorité pour conclure la transaction projetée. Il m'a dit que ses clients désiraient voir s'accomplir cette transaction, et qu'il valait mieux pour tout le monde qu'elle parût avoir été conclue avant la mort de Mr Tidings. Il m'a dit que, si je collaborais avec lui, il me remettrait dix mille dollars lorsque la vente aurait été conclue.

– Et vous avez accepté de collaborer avec lui? demanda Berger.

– J'ai protesté, tout d'abord! s'écria Mattern. La nouvelle de la mort du patron était un choc pour moi, et j'étais surpris qu'un homme tel que Mr Mason puisse me faire une telle proposition.

– Vous avez communiqué votre répugnance à Mr Mason? Qu'a-t-il répondu?

– Il m'a fait remarquer que Tidings était mort, que rien de ce que je ferais ne le ramènerait à la vie, et qu'il vaudrait beaucoup mieux pour ses clients que Mr Tildings parût avoir trouvé la mort mardi midi au plus tôt. Il m'a demandé si Mr Tidings avait bien fait rédiger un chèque volant de cinquante mille dollars destiné à régler le montant des actions. Je lui ai répondu affirmativement. Mr Mason m'a dit alors qu'il m'appellerait plus tard au téléphone, que je devrais répondre à sa secrétaire que Mr Tidings était là et consentait à causer avec Mr Mason, que lui-même viendrait à l'appareil et ferait semblant d'entretenir une courte conversation avec Mr Tidings. Il m'a également ordonné de répondre à quiconque téléphonerait que Mr Tidings était au bureau, mais trop occupé pour venir au bout du fil, de conclure la transaction comme si Tidings était toujours vivant; enfin, pour bannir les derniers doutes, de jurer qu'après la conclusion de l'affaire, Tidings m'avait téléphoné pour me demander si tout s'était bien passé.

– Et il vous a promis dix mille dollars pour exécuter ses ordres? questionna Berger.

– Oui, monsieur.

– Il vous a payé ces dix mille dollars?

– Oui, monsieur.

– De quelle façon?

– En billets de cinquante et cent dollars.

– Qu'avez-vous fait de cet argent?

– Je l'ai déposé dans une banque.

– En avez-vous parlé à qui que ce soit?

– Non, monsieur... Jusqu'à ce que je vous en parle ce matin.

Berger se tourna vers Mason.

– Voilà, Mason, dit-il. Qu'avez-vous à répondre à cela?

– Vous pouvez voir ce qui s'est passé, dit Mason. Mattern savait que Tidings était mort. Il m'a avoué qu'il avait découvert le corps mardi matin de très bonne heure. Bolus, président de la C. P. O., voulait se délester de ses parts. Il a offert dix mille dollars à Mattern pour qu'il l'aide à conclure cette vente. J'ai fait remarquer à Mattern qu'avec les moyens d'investigations dont vous disposiez, vous retrouveriez facilement le dépôt effectué en banque. Il savait qu'il était cuit, et il a inventé cette histoire.

– C'est un mensonge éhonté! protesta Mattern.

– Vous ne vous en tirerez pas aussi facilement, Mason, déclara le district attorney. J'ai causé avec Emery Bolus, président de la Compagnie de Prospection de l'Ouest. Il est exact que ces actions lui appartenaient, mais Bolus n'a jamais versé quoi que ce soit à Mattern et n'avait aucune idée que Tidings fût mort au moment où fut conclue la transaction.

– Bolus, ayant consulté un avocat, apprit qu'en vertu de la loi sur la fonction d'agent la mort de Tidings, antérieure à l'heure de la transaction, rendait celle-ci non valable, continua calmement Mason. A moins qu'en ma qualité d'avocat de Byrl Gailord j'eusse consenti à cette vente, condition qui faisait de Mattern l'agent de miss Gailord et non plus celui de Tidings, administrateur des biens de celle-ci. Dans ces circonstances, Bolus pourrait soutenir la validité de l'opération. Ce coup n'a pas été monté dans un autre but. Les actions n'ont aucune valeur. Bolus a promis cinq ou six mille dollars de plus à Carl Mattern pour qu'il raconte cette histoire. Elle procure à Mattern une porte de sortie, justifie ses actes, et permet à Bolus de garder l'argent.

– Tout ceci, dit froidement Berger, n'est rien de plus qu'une ingénieuse tentative de détourner les faits à votre profit, mais malheureusement pour vous rien ne vient la corroborer.

– Très bien, dit Mason. Envisageons la question sous un autre angle... Mrs Tump, vous m'avez engagé pour représenter Byrl Gailord. Quand êtes-vous venue me voir à mon bureau?

– Mardi matin, vers 10 heures, répondit-elle. Mais vous saviez que j'allais vous rendre visite, et que vous alliez représenter Byrl.

– Comment diable aurais-je pu le savoir?

– Vous l'aviez appris par Robert Peltham, dit-elle. Vous êtes en rapport avec lui depuis le début de cette affaire. Niez-vous qu'il vous ait rendu visite et engagé pour le représenter, dans la nuit de lundi à mardi?

– Qu'est-ce qui vous le fait supposer? demanda Mason.

– Il m'a dit que...

– Ne répondez pas à cette question, ordonna Berger. Nous ne sommes pas ici pour donner à Mr Mason une occasion illimitée de nous tirer les vers du nez et de mijoter une histoire qui finira par tenir debout.

– Et pourquoi sommes-nous ici? s'informa Mason.

– Pour que vous connaissiez les circonstances qui m'obligent à vous faire arrêter pour manœuvres illégales et complicité par omission.

– Complicité de quoi? demanda Mason.

– Complicité du meurtre d'Albert Tidings.

– Je vois, commenta Mason, et qui suis-je supposé aider et assister?

– Robert Peltham.

– Oh! C'est lui le meurtrier, à présent?

– Vous le savez aussi bien que moi.

– Comment diable le saurais-je?

– Il vous l'a dit dans la nuit de lundi à mardi, lorsqu'il vous a engagé pour le représenter, ainsi que sa maîtresse. Vous leur avez créé un alibi de toutes pièces et, pour étayer cet alibi, vous avez voulu faire apparaître que Tidings avait trouvé la mort quelque temps après mardi midi. Tout ce que vous avez fait, Mason, pousse à cette conclusion et mon devoir me contraint à vous traduire en justice pénale, à moins que vous puissiez me convaincre de votre innocence.

– Et comment pourrais-je vous convaincre? demanda Mason. Je n'ai pas la possibilité de questionner les témoins. J'ignore quelles preuves vous détenez. Mes mains sont liées.

– Pas si vous êtes innocent, riposta Berger. Vous n'avez pas besoin de soumettre les témoins à un contre-interrogatoire pour découvrir quelles preuves je détiens. Il vous suffit de me faire une déclaration concise et claire quant à votre connexion avec cette affaire.

– C'est impossible, dit Mason.

– Pourquoi?

– Parce que cela m'obligerait à trahir la confiance d'un de mes clients.

– Niez-vous que Robert Peltham vous ait rendu visite dans la nuit de lundi à mardi?

– Je n'ai pas l'intention de vous donner le moindre renseignement sur les activités du moindre de mes clients, répliqua Mason.

– Dans ce cas, conclut sèchement Berger, je considère cette entrevue comme terminée. Je suis en mesure de prouver que Peltham aimait la femme de Tidings, que Tidings refusait de lui accorder le divorce, qu'il avait fini par découvrir les rendez-vous secrets de sa femme avec Peltham, et qu'il avait décidé de les prendre au piège. Ce fut en l'essayant qu'il trouva la mort.

– Quand?

– Lundi soir, à 11 h 15.

Mason réfléchit un instant.

– A 11 h 15? répéta-t-il.

– Oui.

– Quelqu'un a entendu le coup de feu? demanda Mason.

Berger parut sur le point de répondre, puis il décrocha son téléphone et questionna :

– Miss Adelle Hastings est-elle arrivée?... Très bien. Envoyez-la-moi dans quelques minutes.

11 h 15, musa Mason, songeur... Ça ne correspond nullement avec les faits tels que je les ai reconstitués.

– A quelle heure Tidings serait-il mort, d'après vous? demanda Berger.

– Vers 9 heures et demie, répliqua Mason sans la moindre hésitation.

– Lundi soir?

– Exactement.

– Je ne puis faire encore aucune déclaration définitive sur ce point, Mr Mason, dit Berger. Il me reste un témoin à interroger avant que je déclare officiellement quoi que ce soit.

– Le témoin qui a entendu le coup de feu?

– Le témoin qui a vu commettre le crime, rectifia Berger d'un ton glacial. Il a reconnu Robert Peltham et assisté au meurtre. Je ne lui ai parlé qu'au téléphone. Je n'ai pas encore sa déposition signée. Quant à vous, Mason, je vais donner ordre de déposer contre vous une plainte en vertu de laquelle sera rédigé un mandat d'arrêt. Je regrette, mais je vous ai bien souvent prévenu que vos méthodes vous attireraient un jour de gros ennuis.

– Pourrai-je demander ma remise en liberté sous caution? s'informa Mason.

– Vous serez accusé de complicité par omission du meurtre d'Albert Tidings.

– Votre plainte n'est pas encore déposée?

– Elle le sera dans une heure.

– Jusque-là, je ne suis pas en état d'arrestation?

– Je n'ai pas l'intention de vous arrêter sans mandat!

Mason se leva, écrasa sa cigarette dans le cendrier, et dit :

– Merci de m'avoir donné cette occasion de présenter ma version des faits.

– Je regrette que vous n'ayez pu nous soumettre une meilleure explication.

– Moi aussi, dit Mason.

– Nous, nous avons bonne mine, soupira Mrs Tump avec amertume. Qu'allons-nous faire de ces actions?

– J'ai bien peur que vous deviez transporter cette question devant un tribunal civil, Mrs Tump, dit Berger.

Mrs Tump foudroya Mason du regard.

– Quand je pense que je vous prenais pour un avocat honnête, dit-elle d'un ton méprisant.

– Il me semble que tout le monde conspire contre moi, sanglota Byrl Gailord. Voilà maintenant mon argent investi dans des actions sans valeur...

– Vous êtes certaine que ces actions soient sans valeur? demanda Mason.

– Bien entendu! s'exclama-t-elle, larmoyante.

– Eh bien! au revoir, dit Mason. J'ai encore du pain sur la planche.

Il sortit sans se retourner.

Carl Mattern le regarda disparaître, les yeux fixes, le visage impassible.

XIV

Mason entra dans le plus proche drugstore et appela son bureau.

– Allô, Gertie?... Devinez qui est là?

– Pas bien difficile, répliqua-t-elle après une seconde de silence.

– O.K.! Faites semblant de causer avec un de vos flirts qui vous téléphone pour prendre rendez-vous.

– Je ne pourrai pas ce soir, répondit-elle. Je crois qu'il va falloir que je reste au bureau. Le patron a dû se fourrer dans un pétrin quelconque, car il sort des flics de tous les tiroirs, et ils me portent sur le système... Quoi?... Mais non, je cause avec un copain à moi... Des clous, flic de mon cœur. Occupez-vous de vos affaires, je m'occupe des miennes... Allô, Stew. Voilà qu'ils m'empêchent de parler, mainte-nant! De toute façon, je ne pourrai sûrement pas sortir ce soir.

– Della Street avait un cadavre à enterrer, dit Mason. Vous avez eu de ses nouvelles?

– Bien sûr.

– Allez aux toilettes, Gertie, et filez à l'anglaise jusqu'à un téléphone d'où vous pourrez appeler Della sans être entendue. Dites-lui d'empoigner une machine portative et de me rejoindre à l'*Hôtel Saint-Germain*.

– Oui. Ça ira pour aujourd'hui, riposta Gertie, mais ne t'imagine pas que ça prendra à tous les coups. Tu es toujours en train de sortir des cousines de province! Si tu veux mon avis, tu as une famille beaucoup trop nombreuse... et rien que des blon-des!

– Ecoute, Gertie, s'esclaffa Mason, tu ne peux

176

toujours pas me reprocher de sortir trop souvent avec la même!

A l'autre bout du fil, une voix d'homme grommela, non loin du récepteur.

– Ecoute-moi, Stew, reprit Gertie, j'ai l'esprit large, mais je commence à en avoir soupé. Retéléphone-moi à 5 heures moins cinq; si je peux sortir ce soir, je suis de la partie! Et si ce n'est pas vraiment ta cousine, je lui arrache une poignée de ses jolis cheveux blonds...

– O.K.! mon ange, dit Mason. A ce soir.

Mason raccrocha, quitta le drugstore, chercha un taxi et se rendit à l'*Hôtel Saint-Germain*, où Della Street le rejoignit une dizaine de minutes plus tard.

– Je suis venue aussi vite que possible, patron, dit-elle. C'est sérieux?

– Plutôt, dit-il. C'est un coup monté.

– Par qui?

– Par Mattern.

– Il est tout seul dans le coup?

– Non. Il y a Bolus derrière lui. Ils ont perdu dix mille dollars, mais il leur en reste quarante mille, et Bolus ne les lâchera pas sans combattre.

– Et vous? Quel rôle jouez-vous dans tout ça?

– Je suis la tête de Turc, ricana Mason.

– Que faisons-nous ici?

– Nous allons interviewer un nommé Herkimer Smith, soi-disant originaire de Shreveport, Louisiane. Et nous allons l'interviewer incognito.

– O.K.! Vous voulez le numéro de sa chambre, mais vous ne voulez pas qu'on nous annonce?

– Tout juste.

– Donnez-moi cinq *cents*.

Della s'enferma dans la cabine téléphonique, composa le numéro de l'hôtel et dit à la standardiste :

– Ici, les « Grands Magasins de la Ville de Paris ».

Nous avons à effectuer une livraison à un certain Mr Herkimer Smith, de Shreveport, Louisiane. Comme c'est une livraison contre remboursement, nous préférons vérifier avant de... Je vous en prie.

Une minute plus tard, elle déclara :

– Tous mes remerciements. (Puis, elle raccrocha et dit :) O.K.! patron. C'est la chambre 409.

Mason lui fit signe de quitter la cabine, glissa une autre pièce de cinq *cents* dans la fente, composa le numéro de l'agence Drake.

– Ici, Mason, dit-il. J'ai besoin d'un type qui ait l'air d'un dur. Envoyez-le de toute urgence à l'*Hôtel Saint-Germain*. Dites-lui de monter directement à la chambre 409 et d'entrer sans frapper. J'y serai. Dites-lui d'arranger son nœud de cravate en entrant, pour qu'il n'y ait pas d'erreur. Il lui suffira de la boucler jusqu'à ce que je lui dicte sa conduite.

– O.K.! répondit Mabel, la secrétaire de Paul.

Mason raccrocha, et dit à Della :

– Allons-y!

Ils gagnèrent l'ascenseur, s'arrêtèrent au quatrième étage. Mason entraîna Della jusqu'à la porte marquée « Chambre 409 » et frappa.

– Qui est là? demanda Arthmont A. Freel.

– La femme de chambre, avec des serviettes propres, annonça Della d'une voix charmeuse.

Mason appliqua son épaule contre le battant et, lorsque Freel tourna la poignée, donna une violente poussée, entra dans la chambre, laissa passer Della, et referma la porte derrière eux.

– Salut! jobard, dit-il au petit homme vacillant. Quel effet ça produit de se sentir mûr pour la chambre à gaz? Regardez s'il n'y a personne dans la salle de bains, Della, et installez-vous à cette table.

Mason inspecta la penderie, jeta un coup d'œil circulaire et se laissa choir dans un confortable fauteuil. Della posa sa machine portative sur la petite table, et engagea dans le rouleau deux feuilles de papier blanc séparées par un carbone. Ceci fait, elle se cala contre le dossier de sa chaise et observa paisiblement les deux hommes.

– Personnellement, annonça Mason, je suis désolé qu'ils vous aient choisi comme bouc émissaire, Freel. Je ne vous crois pas coupable, mais vous avez toujours été poire.

Les yeux apeurés de l'ex-comptable passèrent de Della Street à Perry Mason.

– Je ne sais pas de quoi vous parlez, fit-il.

– Je ne vous le fais pas dire, s'esclaffa Mason. Vous ne savez jamais de quoi il est question. Vous participez à un jeu dont vous ignorez les règles, et quand le premier venu vous conseille de mettre tous vos jetons sur tel ou tel numéro, vous vous empressez d'obéir... Tant pis pour vous.

– Vous n'arriverez pas à m'impressionner, affirma Freel. Vous avez réussi, l'autre fois, mais je ne me laisserai plus faire.

– Pardonnez-moi, rétorqua Mason, si j'envisage l'affaire d'un point de vue strictement technique. Personnellement, je devine derrière tout ça l'intervention d'un habile avocat.

– Vous êtes fou! s'écria Freel.

– N'employez pas ce mot dans un sens péjoratif, Freel, conseilla Mason au petit homme. Dans un mois, la folie sera votre seule défense. La justice vous mettra dans les mains des psychiatres, et vous transpirerez sang et eau pour leur faire croire que vous êtes vraiment fou.

» Voyez-vous, Freel, il y a des tas d'alibis dans cette affaire. La plupart tiennent debout, mais l'heure du meurtre, elle, ne tient pas en place. Elle descend et remonte sans cesse!... Quant à vous, Freel, vous n'êtes pas un méchant bougre, mais vous aimez trop l'argent. Vous vous sentez vieillir, vous ne trouvez plus d'emplois qui vous conviennent, et c'est ce qui vous a poussé à agir comme vous l'avez fait. Vous vouliez de l'argent pour assurer votre sécurité future. Quelle rigolade, Freel! Votre sécurité future! Et voilà où vous en êtes!

Les mains de Freel se tordirent, tandis que la panique montait dans son regard.

— On vous a offert de l'argent pour jurer que vous aviez vu commettre le meurtre, reprit Mason avec assurance. On vous a dit que Peltham était mort, et que vous pouviez l'accuser sans prendre de risques. Vous avez accepté. Vous n'avez négligé qu'une chose, c'est que le meurtrier n'a jamais eu réellement l'intention de mettre le meurtre sur le dos de Peltham. Vous n'avez pas encore pigé, Freel. Pendant une semaine environ, en tant que témoin-clef du ministère public, vous allez avoir la vedette. Puis Peltham reviendra, avec un alibi doré sur tranches, et le district attorney vous retombera dessus comme une avalanche...

— Peltham est mort, protesta Freel.

Mason éclata de rire.

— C'est vous qui le dites! Cette histoire de gabardine tachée de sang n'était qu'un attrape-nigaud pour camoufler sa fuite. La femme pour laquelle il en pinçait était sur le point d'être mise dans le bain, et il ne voulait pas qu'on l'oblige à témoigner ses relations avec elle. Un point, c'est tout.

— Je n'ai rien dit à personne, prétendit Freel en s'agitant comme un rat pris au piège.

— Oh! si, s'exclama Mason. Vous avez dit quelque chose au district attorney. Lequel, fort de votre futur témoignage, a fait une déclaration à la presse. Si vous vous imaginez que le district attorney va se rétracter pour vous faire plaisir, vous vous fourrerez étrangement le doigt dans l'œil.

— Vous êtes encore en train de me raconter des histoires, s'affola Freel.

— Pas le moins du monde, dit aimablement

Mason. Albert Tidings a été tué lundi soir dans son automobile. Il n'est pas mort sur le coup. Il a été retrouvé sans connaissance dans sa voiture vers 11 heures. Il a été transporté chez Mrs Tidings et allongé sur un lit, où il est mort presque aussitôt. Il avait un 32 dans sa poche-revolver, mais il ne s'en est pas servi. Il y avait du rouge à lèvres sur son mouchoir.

» Tidings, depuis peu, était au courant des rapports clandestins de sa femme et de Robert Peltham. Si Peltham avait essayé de s'approcher de la voiture où Tidings était assis, Tidings aurait sorti son revolver, et il n'y aurait eu aucune trace de rouge à lèvres sur son mouchoir. Pensez à ce rouge à lèvres, tête fêlée, et vous finirez peut-être par comprendre. Qui a pu l'embrasser? Sa femme? Elle le haïssait. Non, Freel, une seule femme aurait embrassé Tidings. Il a embrassé cette femme, et a reçu une balle dans la peau. Je vous laisse le soin de conclure.

Les phalanges osseuses de Freel craquèrent dans le silence. Mason s'étira, bâilla longuement.

– C'est comme ça, dit-il avec philosophie. Nous vivons chacun notre petite vie, et rien ne nous paraît plus important... L'État va vous débarrasser de vos nom, prénoms, et les remplacer par un numéro. Puis il vous fera présent d'un joli complet, vous escortera jusqu'à la chambre à gaz, et vous y laissera un quart d'heure. Quand vous ressortirez, quelqu'un accrochera une étiquette à votre revers, et vous serez enterré gentiment, sans la moindre difficulté, par les soins de l'administration.

Freel tenta vainement d'avaler sa salive, et ne dit rien.

– Enfin... Dieu sait à quel point vous êtes responsable de ce qui est arrivé, Freel, reprit Mason. Vous savez pourquoi Tidings ne s'est pas servi de son revolver. Il a cru pouvoir utiliser les munitions que vous lui aviez fournies. Vous êtes responsable de sa mort, et il est juste que vous en payiez le prix... Dans trois minutes, je vais sortir de cette chambre, et quand j'aurai refermé la porte, vous n'aurez plus aucune chance de sauver votre peau. Je suis votre seul espoir.

Freel se pencha en avant, et dit d'une voix angoissée :

– Vous ne pouvez pas me mettre ça sur le dos, Mason. Je vous dis que je suis à couvert.

Mason s'esclaffa.

– A couvert! Vous! Elle est bien bonne. Pauvre imbécile. Vous avez dit que vous étiez sur les lieux du crime lorsqu'il a été commis.

– Sincèrement, Mr Mason, je...

Brusquement la porte s'ouvrit. Un type énorme envahit littéralement la chambre, porta la main à son nœud de cravate, et repoussa le battant d'un solide coup de pied.

Mason quitta son fauteuil, serra la main du nouveau venu et s'écria :

– Bonjour, capitaine, il y a une éternité que je vous ai vu. J'avoue que je ne vous attendais pas. Je pensais que vous chargeriez le sergent Holcomb de venir l'arrêter, mais je vois que vous avez préféré venir vous-même.

– Oui, tonitrua le visiteur, j'ai préféré venir moi-même.

– Ecoutez, capitaine, dit rapidement Mason, ce type-là n'est qu'un vulgaire petit maître chanteur. Je crois qu'il est prêt à se mettre à table. S'il dit la vérité, je ne pense pas qu'ils le condamnent pour meurtre au premier degré. Soyons humains, capitaine, donnons-lui sa chance. Si, dans une minute, il ne s'est pas décidé à dire la vérité, je vous le laisse. Une minute, capitaine. Faites ça pour moi.

Le détective privé battit des paupières, gronda :

– Une minute, pas plus. Je fais ça pour vous.

Mason retourna vers Freel.

– Alors, jobard, lança-t-il. Tu te décides?

Freel sortit un mouchoir sale de sa poche, essuya son front couvert de sueur.

– Qu'est-ce que je dois faire? demanda-t-il.

Mason désigna Della Street.

– Racontez-lui votre histoire, dit-il, et signez-la ensuite.

Freel se tourna vers la jeune femme.

– Ça a commencé, bégaya-t-il, quand j'ai voulu vendre à Tidings des renseignements que j'avais...

Les doigts agiles de Della Street s'abattirent sur le clavier.

– Faites-le-lui signer quand ce sera fini, Della, dit Mason. Le capitaine signera aussi, en guise de témoin. Mettez la confession sous enveloppe, filez au *Clarion*, et donnez le tout au rédacteur en chef. Emmenez Freel avec vous.

Della Street acquiesça et regarda Freel d'un air interrogateur.

– S'il refuse de continuer, cassez-le en deux, chuchota Mason à l'oreille du détective. S'il essaie de filer, retenez-le.

– Comment? demanda l'autre.

– Vous avez deux mains, gouailla Mason. Elles ne vous suffisent pas?

Il sortit dans le corridor, referma la porte et s'immobilisa. Quelques secondes plus tard, il entendit le staccato rapide de la machine portative.

Il sourit et se dirigea vers l'ascenseur.

XV

Renversé dans son fauteuil habituel, les pieds croisés sur son bureau, Mason leva la tête et sourit au sergent Holcomb.

– Et cette fois, j'ai un mandat d'arrêt, dit le sergent.

– Je ne pense pas que le district attorney veuille que vous l'utilisiez, sergent, dit Mason.

– Sans blague?

– Après tout, sergent, l'affaire était moins compliquée qu'elle le paraissait, continua Mason. J'ai entendu dire que le *Clarion* allait sortir une édition spéciale. Vous feriez peut-être mieux de la lire... Freel a tout avoué. Della Street a remis Freel et sa confession complète entre les mains du rédacteur en chef du *Clarion*.

Le regard du sergent contenait un invraisemblable mélange d'intérêt et de suspicion.

– Qu'est-ce que vous essayez de faire, Mason? demanda-t-il. Gagner du temps?

– Pas le moins du monde. Je vous donne les faits. Soyez prudent, sergent, ou vous vous retrouverez en train de canaliser la circulation à quelque carrefour.

– Mettez votre chapeau et suivez-moi.

Mason déplia devant lui un journal imaginaire, et les deux mains étendues dans le vide, fit semblant de lire :

– La rapidité d'action du *Clarion* a déconcerté la police elle-même. L'un des à-côtés les plus amusants de cette affaire a été le spectacle du sergent Holcomb, de la Brigade criminelle, escortant jusqu'au Central, avec une louable obstination, l'avocat bien connu Perry Mason, que l'on voit sur notre photo rire à gorge déployée, tandis que le sergent écarte les crieurs du *Clarion* qui, tout autour de lui, lancent aux quatre vents le nom du véritable meurtrier... Ces journalistes n'ont aucun style, mais ils disent bien ce qu'ils veulent dire...

– Vous ne m'aurez pas aussi facilement, grommela Holcomb.

– Je n'essaie pas de vous avoir, sergent. Je vous donne la chance de votre vie.

– Ouais. Vous avez toujours eu de l'affection pour moi.

– Cessons de nous chamailler, Holcomb, dit Mason, vous n'êtes pas un mauvais bougre. Vous avez une tête de mule et les réactions un peu lentes, mais vous avez aussi le courage de vos opinions, et vous faites votre boulot avec une honnêteté absolue. Sachez vous mettre du côté des gagnants.

– En faisant quoi, par exemple? s'informa Holcomb, belliqueux.

– En vous occupant du rouge à lèvres, entre autres choses, dit Mason. Il y avait plusieurs femmes dans cette affaire, sergent, mais une seule d'entre elles aurait embrassé Tidings, et une seule d'entre elles aurait pu s'approcher de Tidings sur cette route déserte sans qu'il dégaine aussitôt son revolver.

– Qu'est-ce que c'est que cette histoire de route déserte? grogna le sergent.

– Vous savez très bien ce que je veux dire. Tidings voulait se procurer une arme contre sa femme. Il montait la garde dans sa voiture, à proximité de chez elle. Une auto s'est approchée. Tidings connaissait les passagers de cette auto qui l'avait suivi. La voiture s'est arrêtée près de la sienne. Tidings a embrassé la femme.

– Quelle femme? demanda Holcomb.

– Byrl Gailord, répliqua Mason.

– Pourquoi elle?

– Byrl Gailord voulait de l'argent. Mrs Tump voulait de l'argent. Tidings avait de l'affection pour Byrl; il détestait Mrs Tump. Il ne voulait pas voir Byrl tant que Mrs Tump serait avec elle. Les deux femmes l'ont donc attendu et suivi lorsqu'il est sorti de son bureau. Jusque chez Adelle Hastings, tout d'abord, mais sans pouvoir l'aborder. Jusque chez sa femme, ensuite, où elles ont enfin pu lui parler.

» Byrl l'a embrassé, cajolé, chouchouté. Puis Mrs Tump s'est énervée, et l'a menacé de le traîner devant les tribunaux. Il lui a ri au nez, lui a dit que, si elle entamait quoi que ce soit, il démontrerait que Byrl était l'enfant naturelle de la fille de Mrs Tump, et pas plus fille de grand-duc que l'épicier du coin. C'est alors que Mrs Tump l'a abattu.

– Une vraie histoire à dormir debout, commenta le policier.

– Une histoire logique, rectifia Mason. J'ai trouvé dix mille dollars dans le matelas de Freel. Mrs Tump était trop rusée pour l'avoir payé d'avance. La seule autre personne qui pouvait lui avoir donné cet argent était Albert Tidings. Freel avait donc vendu la mèche à Tidings et Tidings n'était pas homme à ne pas se servir de munitions aussi coûteuses.

» Soit dit en passant, la police a négligé un détail important. Vos laboratoires, sergent, auraient pu analyser ce rouge à lèvres et analyser les rouges employés par toutes les femmes impliquées dans l'affaire.

Le sergent Holcomb paraissait songeur.

– Nous aurions pu le faire, admit-il. Nous pouvons le faire encore. Mais ce n'est pas ça qui va m'empêcher de vous emmener au Central, quoi que vous puissiez dire.

Mason se leva, regarda fixement le sergent.

– Je me moque éperdument de ce que vous pouvez faire, dit-il. Si vous êtes assez idiot pour me traîner jusqu'au Central, pendant que le *Clarion* lancera son édition spéciale, ce n'est pas moi qui serai la risée de la ville. Non, sergent, j'essaie simplement de vous donner votre chance. Filez au

Clarion, dites-leur que vous avez tout élucidé, retenez Freel comme témoin à charge... et vous aurez votre photo dans le journal.

– Suivez-moi, Mason, dit le sergent Holcomb.

– Vous aurez votre photo dans le journal, de toute manière, constata Mason. Mais quelle légende préférez-vous ? « Le sergent Holcomb, qui vient de résoudre dans les bureaux du *Clarion* l'affaire du meurtre d'Albert Tidings » ou : « Le sergent Holcomb arrêtant un éminent avocat, tandis que les crieurs du *Clarion* – en haut et à gauche – offrent la vérité au public. » Choisissez, sergent. Il en est temps encore.

– Qu'est-ce qui me prouve que ce n'est pas un coup monté pour vous permettre de filer ? questionna Holcomb.

Mason éclata de rire.

– Vous voulez dire que je filerais en laissant derrière moi un cabinet d'avocat qui me fourre chaque année dans les plus hauts paliers d'impôt sur le revenu! Voyons, sergent! D'ailleurs, réfléchissez vous-même. Quelqu'un l'a embrassé. Quelqu'un l'a tué. Tidings est resté mourant dans sa voiture. Puis Mrs Tidings et Peltham sont arrivés...

La porte s'ouvrit. Della Street entra, séduisant bolide.

– O.K.? demanda Mason.

– O.K.! Vous aviez raison, patron. Mrs Tump l'a soudoyé pour qu'il mette le crime sur le dos de Peltham, et Freel, auparavant, avait bien vendu à Tidings les renseignements qui mettaient Byrl et Mrs Tump à sa merci.

– Il peut prouver que Mrs Tump a commis le crime?

– Non. Seulement qu'elle l'a soudoyé pour mettre le meurtre sur le dos de Peltham.

– C'est mieux encore que je le pensais, Holcomb, dit Mason en souriant au policier. Le *Clarion* n'osera jamais accuser Mrs Tump du meurtre de Tidings. Ils ne pourront que publier la confession de Freel et l'accuser de manœuvres illégales et de corruption de témoin. Si j'étais à votre place, sergent, sergent, je cuisinerais Byrl Gailord. Je suis à peu près certain qu'elle n'avait aucune idée des intentions homicides de Mrs Tump, mais une fois le crime commis, elle s'est rangée du côté de sa grand-mère. Je crois qu'un policier habile et capable d'agir vite pourrait, avant que le *Clarion* sorte son édition spéciale...

Le sergent Holcomb pivota sur place, fit deux pas vers la porte, s'arrêta court, revint vers l'avocat et lui tendit la main.

– O.K.! Mason, dit-il. Je n'aime pas vos méthodes. Un jour ou l'autre, je vous coffrerai, mais je sais apprécier le travail bien fait.

Surpris, Mason lui serra la main.

– Et ne vous imaginez pas que ça vous donne le droit de vous foutre de la loi à chaque fois que vous en aurez l'occasion, ajouta le sergent.

– Qu'est-ce que ça me donne? s'informa Mason, les yeux pétillants de malice.

– Mes remerciements, pour m'avoir passé un pareil tuyau, et permis de découvrir un meurtrier. N'importe quel flic digne de ce nom doit respecter le type qui est capable de faire ça.

Mason frappa sur l'épaule du policier.

– Ça c'est parlé, sergent! dit-il. Allez-y! Vous n'avez pas de temps à perdre.

Au moment de refermer la porte derrière lui, Holcomb se retourna :

– Et je n'aime toujours pas vos méthodes! lança-t-il.

Il claqua la porte.

– Et voilà, dit Mason à Della Street.

– Pourquoi avez-vous donné au sergent une telle chance de se faire mousser? demanda-t-elle.

– Parce qu'il est beaucoup mieux placé que moi pour faire avouer Byrl Gailord.

Della Street ne le quittait pas des yeux.

– Et parce que vous vouliez lui donner sa chance, insista-t-elle.

– Peut-être, admit Mason.

– Il ne peut pas vous voir en peinture, patron, lui rappela Della.

– Peut-être... Mais c'est un bagarreur, et j'aime les bagarreurs. Comment vont les choses, au *Clarion*?

– Comme dans une maison en feu. Le sergent Holcomb n'arrivera jamais à voir Freel. Vous pensez s'ils le couvent jalousement!

– Il va tout retourner pour lui mettre la main dessus, s'esclaffa Mason. Ça lui fera de la bonne publicité. Et ils lui donneront Freel dès que l'édition spéciale sera en vente.

Le téléphone sonna. Della Street s'empara du récepteur, écouta un instant, mit la main sur l'appareil et dit à Mason :

– C'est Adelle Hastings. Elle demande si elle peut faire quelque chose.

– Dites-lui de nous retrouver au *Cocktail Champêtre* dans un quart d'heure, répondit Mason. Je veux voir quelle tête elle fera quand elle lira cette édition spéciale.

– Etes-vous sûr que nous serons encore au *Cocktail Champêtre* quand le *Clarion* sortira son édition spéciale? objecta Della.

– D'après mon état d'esprit, ricana Mason, nous y serons au moins jusqu'à ce soir.

Della Street ôta sa main de sur le récepteur, bavarda quelques instants avec miss Hastings et raccrocha.

– Ça va, dit-elle, elle est d'accord.

– Tant mieux, commenta Mason. Après une telle alerte, je mérite bien de passer mon après-midi à boire des cocktails entre deux jolies filles.

— Est-ce un compliment, patron? s'informa Della.

— Bien sûr, dit Mason d'un air détaché. Cette miss Hastings a un décolleté ravissant.

— Vous n'en parleriez même pas si vous m'aviez vue en robe du soir, patron, affirma Della.

Perry Mason se leva...

Les Maîtres du Roman Policier

Première des collections policières en France, Le Masque se devait de rééditer les écrivains qu'il a lancés et qui ont fait sa gloire.

IMPRIMÉ EN FRANCE PAR BRODARD ET TAUPIN
58, rue Jean Bleuzen - Vanves - Usine de La Flèche.
ISBN : 2 - 7024 - 1637 - 3

H 52/1859/9